Texture

Collection dirigée par François Couture

Mémoires d'outre-Web

De la même auteure

Le banc, Les Intouchables, Montréal, 2001.

Mes aventures d'apprenti chevalier presque entièrement raté, Montréal, Éditions Hurtubise, 2008.

Texture

Marie Clark

Mémoires d’outre-Web

roman

Hurtubise

Catalogage avant publication de Bibliothèque et Archives nationales du Québec et Bibliothèque et Archives Canada

Clark, Marie

Mes mémoires d'outre-Web

(Texture)

ISBN 978-2-89647-426-4

I. Titre. II. Collection : Texture.

PS8555.L371M472 2010 C843'.6 C2010-941568-X
PS9555.L371M472 2010

Les Éditions Hurtubise bénéficient du soutien financier des institutions suivantes pour leurs activités d'édition :

- Conseil des Arts du Canada
- Gouvernement du Canada par l'entremise du Programme d'aide au développement de l'industrie de l'édition (PADIÉ)
- Société de développement des entreprises culturelles du Québec (SODEC)
- Programme de crédit d'impôt pour l'édition de livres du gouvernement du Québec

L'auteure remercie le Conseil des Arts du Canada pour un soutien financier.

Direction littéraire : François Couture
Maquette de couverture : Thomas Csano
Mise en page : Folio infographie
Révision linguistique : Christine Barozzi et Corinne Danheux

Copyright © 2011, Éditions Hurtubise inc.

ISBN : 978-2-89647-426-4

Dépôt légal : 1er trimestre 2011

Bibliothèque et Archives nationales du Québec
Bibliothèque et Archives du Canada

Diffusion-distribution au Canada :
Distribution HMH
1815, avenue De Lorimier
Montréal (Québec) H2K 3W6
www.distributionhmh.com

Diffusion-distribution en France :
Librairie du Québec / DNM
30, rue Gay-Lussac
75005 Paris
www.librairieduquebec.fr

La *Loi sur le droit d'auteur* interdit la reproduction des œuvres sans autorisation des titulaires de droits. Or, la photocopie non autorisée – le « photocopillage » – s'est généralisée, provoquant une baisse des achats de livres, au point que la possibilité même pour les auteurs de créer des œuvres nouvelles et de les faire éditer par des professionnels est menacée. Nous rappelons donc que toute reproduction, partielle ou totale, par quelque procédé que ce soit, du présent ouvrage est interdite sans l'autorisation écrite de l'Éditeur.

Imprimé au Canada
www.editionshurtubise.com

À Philémon, Annaëlle, Tiemo, Mika et Noé, jeunes héros
d'un monde usagé qui reste à conquérir

À Marie-Soleil, Noémie et Pierre-Étienne,
qui les ont valeureusement précédés dans cette mission

À Arnaud Jolois, pour sa passion
transmissible des jeux virtuels

À Julie-Soleil Meeson, pour son généreux
tableau des jeunes de la rue

C'était elle, avec ses cheveux tout mélangés. Personne a jamais réussi à la peigner, on dirait. Raph était ma première morte et c'est pas du tout comme dans les jeux virtuels, quand les abattus se relèvent après quelques minutes pour revivre si on veut, même avec des pénalités. Et l'écran était pas gris. Ça a pas l'air non plus comme quelqu'un qui dort. Je te le dis au cas où tu rencontrerais un mort. C'est plutôt difficile à regarder longtemps parce que, je sais pas pourquoi, mes yeux cherchaient tout le temps le tapis, qui avait pourtant rien d'important. Je crois que Raph me gênait à cause de son immobilité presque indécente. Et aussi parce qu'on s'était pas vus depuis très longtemps, quand elle avait huit ans, et que, maintenant, elle était changée en vraie fille plutôt très belle, avec des seins et tout. Mais avec surtout quelque chose qui manque. Froid comme de la cire de mannequin, si tu as déjà visité le musée. Elle avait des traces dans le cou que je connaissais pas. Et sur sa joue des égratignures qu'on avait cachées avec de la poudre brune épaisse. Et sur ses bras des sortes de petits trous camouflés. C'était pas le moment de demander pourquoi, mais Philémon a pris le mystère au sérieux quand je lui ai raconté et il a fait une recherche scolaire sur Internet pour expliquer la corde qui lui avait étranglé le cou et les petites injections dans les bras pour la dose quotidienne de désespoir. La prof a pas tellement apprécié son sujet, qui pourrait donner l'idée aux autres, mais Philo trouve que les choses vraies doivent pas rester silencieuses, au cas où la tentation résisterait pas à l'amélioration des faits en moins sordides. « C'est justement pour les décourager de le faire que je donne des détails », il s'est défendu. Et il a eu C à cause de son obstination.

C'est lui, Philémon, qui a vu l'annonce avec le vent sur la table de cuisine qui soulevait les pages et qui a fait tomber la bonne sous son nez. Philo aime pas tellement que sa mère gaspille chaque matin des arbres impossibles à faire repousser pour lire le journal une seule fois – l'école l'a rendu très écolo pour l'avenir de la planète –, mais la photo lui ressemblait vraiment, enfin presque, avec le même nom et tout. Jimmy m'avait prévenu que Raph allait s'échapper de la suite du monde. Et comme ancien maître chevalier d'enfance, il se trompait rarement. C'est pour ça. Je voulais la sauver de son destin, qui était injuste, de toute façon, et qu'on s'aide avec la vie qui est pas évidente de nos jours, comme disait Mamie avant d'être rigidifiée, ce qui est un autre malheur, mais je peux pas tous les raconter en même temps.

Raph, c'est la meilleure amie que j'aurais pu avoir si elle avait pas disparu de l'école, il y a sept ans, juste comme j'allais l'inviter à dormir chez nous. Elle était ma sœur d'âme, malgré nos fractions erratiques qui revenaient presque au même. Une sœur d'âme, c'est pas tout le monde qui la trouve. C'est précieux. Même qu'on voudrait au moins la même chose pour elle. Surtout quand on a déjà perdu un frère identique à la naissance. Je me demande si elle a appris à lire et à écrire, finalement. En tout cas, je pense pas qu'elle a eu la chance comme moi de rapporter sa vie parce que ça se saurait. En attendant, au moins, j'ai un meilleur ami avec Philémon, sinon ce serait impossible.

Je l'ai manquée. Même si je l'ai surveillée chaque fois que je sortais sur la rue en regardant partout et en me disant qu'un jour, j'allais bien la recroiser quelque part. Je connais pas assez bien les lieux de danger de la ville. Et aussi, parce que les itinérants m'impressionnent avec leurs énigmes ambulantes. Surtout qu'avec ma mère, c'est plutôt interdit d'y aller. J'écoute plus tellement ses empêchements, tu me diras, et tu as raison. Mon « amère », c'est comme ça que je l'appelle : je trouve qu'elle a besoin d'un « a » pour tout ce qui l'empêche de sourire de sa vie ; elle aussi me fait peur, mais c'est pas nouveau. Je la connais comme ça depuis seize ans, et oublie pas que ça me fait seize de plus qu'elle en degré d'humanité, sur le plan du nombre d'humains qui sont nés avant nous. Je suis moins pressé qu'avant avec elle, mais elle me fatigue autant. À cause de tout ce qui coule pas. Et qui s'éparpille. Et qui est perdu. Mais j'espère que tu sais ça, quand même, que chacun a au moins un impossible. En plus qu'on accumule ceux des autres, particulièrement de la même famille, avec le temps irrésolu qui passe. On se demande pourquoi il y en a qui attrapent plus d'angles morts que d'autres. Qui trouvent donc plus difficile de tourner les coins de la vie. Je te le dis, c'est un miracle qu'on soit encore là, en général. Même si plusieurs particuliers comme Raph, entre autres – et en m'attendant –, y arrivent pas.

Je restais planté là, dans mes pensées galopantes, à côté des fleurs du tapis de ce salon plein de Noirs en lamentations, presque sans respiration et sans volonté, et mes bras m'encombraient comme si on les avait épinglés sur moi de quelqu'un d'autre. Je voulais partir, mais j'étais fixé sur place. C'est alors que l'inattendu chevalier Benj, dernier de la célèbre famille des Aminn, s'est levé de moi comme s'il était pas un avatar imaginaire de la guerre interactive du Web mais mon double amélioré, qu'il s'est penché sur la tombe et qu'il en a sorti un petit tas de Raph bien trop maigre avec ses longues jambes autrefois rieuses, pour la secouer de ce mauvais rêve. Comme elle restait lettre morte, il l'a serrée très fort contre lui et a enfoui son nez dans le cou inanimé en prononçant son nom muet au complet, Raphaëlle. Il l'a fait pendant un bon moment dans la rumeur stupéfaite, avant de doucement la redéposer dans le satin de son repos éternel et de s'évanouir comme il était venu. J'ai vite regardé autour parce que, tout de même, on est pas censé bercer les morts et que ça risquait de retomber sur moi, mais personne avait l'air dérangé de cette audace, trop occupés qu'ils étaient tous avec leurs conversations de salon.

Sauf une petite fille apparue à côté de moi avec plein de minicouettes de rubans sur la tête et des yeux comme Raph.

— T'as vu ? je lui ai soufflé.

Elle a fait un oui très grave de la tête. Ça m'a rassuré.

— Il était temps.

— Comment ça ?

— Raph a dit qu'un chevalier viendrait la prendre et qu'il l'emmènerait dans un monde moins cruel.

— Elle t'a dit ça ?

— Mmm. Le soir avant de m'endormir...

La petite main noire s'est glissée dans ma main trop blanche.

— C'est où le monde moins cruel ?

— Quoi ? Je... sais pas... c'est pas moi, c'est B... euh, tu t'appelles ? j'ai fait en retirant ma main de malaise.

— Iphi-Génie. Oui, c'est toi. T'as un plan de nègre dans les yeux, ça se voit comment tu la regardes.

— Moi ?...

Confus, j'ai serré les poings et les larmes sont montées. Un peu parce que, sinon, on en finirait pas. Et la rage coule mieux par en dedans.

— T'as raison, Iphigénie, je me suis repris en m'essuyant sur ma manche, j'vas l'emmener où a l'aurait dû naître, et vivre, et mourir. Vieille.

— Iphi-Génie. Tu vas revenir me chercher ?

Comme si elle devinait ce que je m'apprêtais à répondre, cette petite Génie m'a fait une moue de vieillarde qui en a vu plus que je pensais et qui avalait pas une miette de mes mauvaises raisons, et j'ai été obligé de me rattraper.

— Peut-être plus tard, Iphi-Génie. Benj peut pas s'occuper de tout le monde en même temps. Une mission à la fois, j'ai terminé, surpris moi-même de ces paroles et me demandant quelle odyssée m'anticipait ainsi.

Iphi-Génie m'a scruté, comme pour s'assurer que je mentais pas, puis elle s'est envolée subitement parmi les autres anges avec des ailes de toile qui se couraient après en riant dans le corridor. Je suis resté seul avec le « Adieu chevalier Benj » qui résonnait en moi, incertain qu'il ait été réellement prononcé.

J'ai réussi à trouver la sortie, mais après quelques pas, j'ai dû m'asseoir sur la clôture de fer devant le salon pour me remettre de la curieuse absence de la morte qui me sciait les jambes et de la rencontre inopinée de ses yeux noirs grandeur nature dans le visage d'une autre miniature. J'ai attendu de sentir l'envie de me propulser dans la rue de ma jambe qui gigote quand je reste assis sans bouger. À l'école, je la camoufle sous la table pour la faire tenir tranquille et je me sauve seulement dans ma tête. Sauf qu'il paraît encore quelque chose. Je me demande bien quoi parce que je contrôle tout le possible. De toute façon, je trouve l'école très secondaire avec ses cadres poussiéreux qui rattrapent les élèves jusque dans les coins et ses définitions prévues qu'ils nous apprennent à répéter. C'est fatigant de l'endurer à cause de ça, surtout quand on a aucun allié naturel sur place. Parce que, je te l'ai pas encore dit mais, Philémon, il fréquente une école privée pour être plus riche que moi un jour, selon mon père, s'il la supporte jusqu'au bout par contre, ce qui est pas sûr, malgré qu'il a toujours été un super enfant sage avant de me rencontrer. Et on se voit beaucoup moins à cause de ses études, sauf sur le cell quand on a de l'argent en même temps et en superhéros de la Horde de l'Alliance interactive en ligne (qui est un jeu sur le Web, au cas où tu serais pas de ton temps) et encore, je dois souvent jouer sans lui, qui se fait retenir par ses parents. Les miens négligent leur rôle à cause de la tranquillité quand je suis dans ma chambre. Et aussi à cause du débordement de leur propre vie. Avant Philémon, je mettais mes poings comme ça, en légitime défense de préfixes scolaires, mais ça m'apportait beaucoup de bosses et de punitions. Maintenant, je les garde plutôt dans mes poches et je récolte moins de sermons de suspension et autres, même si j'ai pas plus d'amis et une mâchoire très serrée. Mais tu sais sûrement que le monde est plein d'orcs ennemis déguisés en vraie vie et qu'il faut presque toujours se débrouiller tout seul avec les moyens du bord. Moi, par exemple, il y en a au moins trois qui me pistent dès que je mets le pied dans le corridor et qui m'écrasent le sandwich contre la case ou qui essaient de me voler mon cell, ou ma casquette, ou de chiffonner mes devoirs, ou de déchiffrer mes secrets d'agenda, et ainsi de suite. Si tu connais les jeux virtuels, tu sais que, sans pouvoirs spéciaux, comme c'est le cas du quotidien, il est inutile d'enfoncer un ventre d'emmerdeur quand il y en a deux autres juste à côté qui attendent pour le venger. En plus qu'à la première bagarre, les surveillants scolaires sortent des murs, comme, pour t'envoyer t'expliquer avec le directeur, qui a rien de sympathique, surtout quand il te voit trop souvent. C'est que l'école nous apprend à nous taper dessus seulement avec la langue, selon le règlement civilisé. Je sais pas si c'est mieux au fond parce qu'il arrive un moment où les mots dépassent la vitesse des pensées et risquent la propulsion en jet encore plus dévastateur qu'un poing bien placé auquel plus personne ne pense une fois que c'est terminé (j'espère que la vie t'a enseigné que les colères intactes sont les plus redoutables...). C'est très malheureux parce que mes poings réussissent généralement mieux que ma langue à faire parler l'injustice, et surtout à la faire taire. J'ai déjà un allié remplaçant en vue, mais Miranda, qui est vraiment mignonne avec ses cheveux blonds tout doux, est pas encore complètement conquise. Je travaille là-dessus à chaque récré, quand les crapules me laissent le temps. Sa force est pas du tout dans ses bras, avec les petites lignes bleues qui courent sous la transparence de sa peau, mais elle pourrait très bien me servir de témoin langagier. Parce que parler, ça, elle sait très bien le faire, j'arrête pas d'écouter ses détails. Et, crois-moi, elle a presque toujours le dernier mot des arguments, avec sa voix de flûte enchantée.

C'est sans compter tous les autres que les orcs intimident et qui osent pas faire autre chose que rire de mes ennuis avec eux dès que le prof a le dos tourné au tableau. Alors, tu vois que je préfère la vie de joueur Internet, qui te donne au moins des armes pour te défendre. Et une horde d'alliés. Ou au moins des sages qui ont pas la vie trop dure pour te superviser dans tes exploits. Quand j'avais la mission de Raph à chercher, je pouvais manquer tout ce cafouillage pour une bonne raison, mais maintenant... C'est à cause de Dieu qui m'a pas aidé.

— *C'est ta faute si Raph est morte*, je l'ai accusé en direct sur le Net, après le salon.

— *Si ça te fait du bien que ce soit la faute de quelqu'un...* il a clavardé.

On a discuté un moment. Je voulais qu'il la remette en vie. Évidemment, il a pas pu. Comme quoi le Dieu improvisé du Net a pas plus de pouvoir que celui des églises de Solange, une vieille Haïtienne que tu vas connaître plus loin. Je lui tape quand même de temps en temps parce qu'il faut bien parler à quelqu'un. Surtout quand on vient de trucider exprès son cyberhéros Benj Aminn, triste chevalier du plus haut niveau de la guerre interactive de *War of Worldcraft*. C'est une des premières choses que j'ai faites avec mes jambes après la clôture de fer, en entrant au hasard dans un café Internet. Parce qu'un héros invincible sert à rien quand on a l'autre dans le miroir chaque matin de barbe qui commence à pousser et de rasoir qui a envie de couper court, et qu'en plus, il faut l'envoyer en un seul captif à l'école. Les illusions ont toujours de la peine avec leur reflet.

J'ai l'air très désespéré de cette histoire et c'est vrai que je suis vraiment triste et encore plus fâché que mon avatar Benj soit mort de mes mains de traître sur le clavier. Mais des fois, on fait les choses avant d'avoir l'inconscient qui va avec. Non ? Et quand on a fini, c'est trop tard de toute façon. J'espère que tu comprends le principe du départ, qui est de sacrifier ce qui nous tient le plus à cœur dans la vie. « Tu vois, Iphi-Génie, je lui dirais si je la revoyais, les plans ont un peu changé. Benj emmène Raph nulle part. Il va simplement la rejoindre. » Philémon, lui, il trouve que je suis nul, que j'aurais pu au moins mettre Benj aux enchères sur un site Internet spécialisé dans la vente privée de tout ce que tu veux plus, comme un avatar qui a gagné le plus haut niveau de l'ennui et que seuls les fils de riches peuvent se payer, au lieu de le suicider intentionnellement. Comme ça, j'aurais pu lui léguer un tas d'argent en souvenir de ma mémoire disparue parce qu'il m'a enduré plein de bêtises de mon vivant.

— J'y ai pas pensé, j'ai dit tout piteux, et c'est complètement vrai que j'ai pas le sens des affaires même si j'ai tous les cinq autres.

En plus que DieuWeb m'a donné un argument en ma faveur :

— *Le pire, ce n'est pas de perdre, Benj, c'est de gagner la vie éternelle du niveau 80, parce qu'après, on n'a plus rien à faire. Pourquoi crois-tu qu'Adam a croqué la pomme au paradis ?*

— *Adam ?* j'ai écrit, *parce que tu le connais, toi ?*

Je te répète les paroles divines même si je sais pas vraiment cette histoire d'Adam avec le paradis, comme ça, si tu as envie de te tuer d'une défaite d'avatar, comme il y en a qui le font, tu pourras mettre la citation dans ta pipe et la fumer deux fois pour trouver une meilleure raison. C'est pour ça que les inventeurs de jeux électroniques ont imaginé de se créer d'autres avatars, jusqu'à huit, pour continuer à avoir des obstacles et des empêchements différents. Mais les suivants sont plus jamais la même chose. Pour une fois, ce Dieu a raison. À quoi ça sert d'être complètement réussi ? Je te le demande. C'est pour ça aussi, je crois, que j'ai suicidé Benj. Il était trop impossible.

J'avais pas allumé la webcam intégrée pour rester inconnu et aussi parce que mes parents sont pas tellement d'accord pour que les pédophiles me connaissent de vue. Alors Dieu m'a jamais vu. Sauf que lui, j'aimerais bien savoir à quoi il ressemble. Surtout qu'il est sûrement faux. Tu te rends compte ? T'as déjà parlé à Dieu en personne sur le Web, toi, et qui te répond ? Je me demande s'il a réellement une barbe blanche imitation père Noël et une jaquette ridicule comme sur les vieilles photos de la Bible de Solange... Quand je lui ai dit que j'avais éliminé Benj dans une bataille suicidaire contre quarante orcs réunis, il l'a pas cru.

— *Pas le fameux chevalier Benj, de la célèbre famille des Aminn, dans* War of Worldcraft ?

Ça alors, il était au courant que je suis super doué pour réagir vite en avatar, en ayant battu le record du niveau 80, qui est le plus élevé où presque personne réussit. Il y a au moins une place où je suis un héros, ce qui est mieux que rien à cause de la vie ordinaire. Mais t'en fais pas, je suis pas un *no-life* comme ils appellent les joueurs virtuels compulsifs décrochés de la réalité, qui vivent seulement dans la peau de leur avatar. J'essaie encore d'exister quelque part quand il reste du temps. Je me demande tout de même si c'est juste ce qu'on voit, la vraie vie, et combien de peine elle vaut avant de se décourager complètement et d'y renoncer.

Et il s'est mis à me convaincre de jouer encore du début avec un nouvel avatar en allant demander des conseils à Ideu, un *npc* (ou *non playing character*, si tu préfères), qui est une sorte de sage du jeu. J'ai trouvé que c'était pas sérieux et j'ai fermé la boîte de dialogue avant la fin sans dire au revoir ni rien parce que j'étais fâché de notre discussion qui mène qu'à ce qui existe déjà sans queue ni tête sur la vie et la mort, et qu'on a pas envie de savoir.

Je voulais lui donner une dernière chance, au cas où il aurait les pouvoirs que Solange raconte sans arrêt et où il aurait pu ramener Raph et, pourquoi pas, aussi mon héros Benj, en me tapant sur l'épaule pour dire que j'avais bien mérité la clémence de la vie. Mais il a vraiment pas réussi le test, comme tu peux le constater. Alors, cette fois, c'est vraiment un aDieu. De merde. Et c'est sa faute si je m'en vais.

J'ai décidé de retourner le destin contre moi, comme bien d'autres, avant que ça devienne pire vers la fin, et de laisser ceux que ça intéresse avec tous nos problèmes. J'ai plusieurs exemples sous la main pour m'aider à choisir, comme mon grand-père qui a fait le coup du pont à mon père sans surveillance dans son landau, et qui fait la même chose en retour mais avec le petit feu de l'alcool ; mon frère égal qui a refusé de respirer en accouchant ; ma mère qui se congèle de capsules antidépressives ; ma première grand-mère qui a rencontré un mur automobile en me sachant né ; Mamie, la seconde, emmurée vivante avec un type d'Alzheimer qui refuse de l'échapper ; ma sœur Noé, qui rase les murs du silence ; mon autre frère Max, mur à mur dans la performance de stéroïdes étatsuniens de natation, et bien sûr, Raph, qu'on a devinée avec une corde de toxicomanie précoce. Tellement qu'on se demande s'il y a quelqu'un de vivant parmi nous. Foufou, lui, qui était le chien de salut de mon père, il a fait ça en tombant raide sous la table, entre deux miettes, sans jamais se relever. Tous les moyens sont bons, comme tu vois. Et je te donne seulement des exemples de gens que je connais, parce qu'il y a aussi tous les autres qui seraient trop longs à énumérer, qui marchent comme des périsprits (cherche si tu veux dans le dictionnaire, mais ça veut dire « enveloppe semi-matérielle qui unirait le corps et l'esprit », ce qui décrit très bien la situation) jusqu'à leur travail chaque matin, entre autres, et qui se réveillent seulement la fin de semaine en changeant de stupéfiant. Les plus récents comme moi sont vissés à la virtualité de leur ordinateur, la réalité ne parvenant pas à la cheville dès qu'on retombe les deux pieds dedans. Tout le monde a envie de pouvoir décider de la vie. Et surtout de la mort. Alors, moi qui suis pas tellement réussi non plus, qu'est-ce que je fais là, hein, sans Raph à espérer ? Je te le demande. En plus que si on se met à regarder les journaux, ou les téléjournaux, ou les cyberjournaux, qui racontent tous les mêmes choses, on le voit très bien que le monde a mal partout, et même l'environnement qui se met de la partie avec les changements climatiques de la fonte polaire, des inondations, des tsunamis, des tremblements de terre et des sécheresses. Il manque plus que la guerre, avec ça, sur le portrait, et elle existe, qu'est-ce que tu crois, tellement qu'on la joue en préparation. Même moi, sur *War of Worldcraft*, je fais pas mieux, parce que c'est ça, être humain. C'est très artisanal. La guerre est partout, en nous et autour de nous, en plus de tous les autres de tous les temps, ça commence à faire pas mal de carnage incessant pour essayer d'exister, avec bien peu de réussite.

Alors, qu'est-ce qu'on fait quand on se peut pas ? On fait semblant. Semblant qu'il y a des arbres quand même, qu'il y a des poissons quand même, de la nourriture quand même, de l'air quand même, de l'eau quand même, en gaspillant les dernières réserves. Et je nous fais confiance pour aller jusqu'au bout. Tout ça, c'est Philémon qui me l'a conscientisé parce qu'il dévore toutes sortes de renseignements écolos pour la compréhension du monde. Et il est plutôt démoralisé de l'utopie, lui aussi.

Je veux pas trop t'y faire penser, mais quand on fait le calcul, ce qui est inévitable une fois qu'on sait additionner, on se demande vraiment qu'est-ce qu'on fout ici et comment arrêter tout ça, parce que le chaos, vois-tu, j'en ai déjà suffisamment à l'intérieur qu'il pourrait bien ne pas se répandre au moins. C'est ça que j'ai demandé à Dieu, même s'il avait déjà raté sa dernière chance, parce que je sais vraiment pas à qui d'autre demander, et je t'ai averti que j'avais plusieurs sujets de découragement autres que Raph. Et tu sais ce qu'il a répondu ? Que les choses changent rarement avant qu'il devienne impossible de faire autrement.

— *Mais des fois, on peut devenir trop tard,* j'ai conclu.

— *En effet.*

— *Alors ?*

— ...

— *Alors ?* j'ai insisté pour une solution.

— *Il n'y a malheureusement aucune garantie...*

— *Ce que tu peux être poche comme réponse,* j'ai avoué, *parce qu'on a plus le temps de tourner autour du pot avec la fin de l'humanité.*

Il a répondu qu'il fallait cesser de séparer le monde en bon et méchant. Ce qui est une chose très étrange à dire à un guerrier interactif du Web qui compte plus d'ennemis que d'alliés dans l'ordinaire de la vraie vie.

— *Le défi n'est pas d'être bon, mais d'être*, c'est ça qu'il a dit.

Moi qui voulais sortir du chaos, j'étais pas très avancé avec ces nébulosités croissantes. Ce DieuWeb, il oublie que je suis un cancre scolaire, ma parole. Voilà pourquoi je suis bien obligé de compter avec toi pour nous sortir de cet imbroglio fatal. Tu vois que j'ai bien fait de t'impliquer depuis le début. Alors, essaie de comprendre quelque chose au plus vite si tu peux, parce que tu t'es rendu compte, j'espère, que l'Histoire pose pour la première fois la question de notre survie en tant qu'espèce menacée par nous-mêmes et que notre insouciance s'approche dangereusement le nez du mur.

— *Ce n'est évidemment pas à moi de décider, chevalier Benj*, il a continué, *mais avec le portrait que tu viens de dresser de la réalité actuelle, peut-être n'est-ce pas le moment de partir.*

— *Qu'est-ce que tu veux dire ?*

— *Je veux dire que nous avons plus que jamais besoin de tous nos effectifs, jusqu'aux plus petits d'entre nous.*

— *Essaie pas de me faire changer d'idée*, j'ai défendu, *en plus que tu me traites de plus petit, ce qui est vraiment pas la façon de me convaincre.*

— *Si tu préfères, on a besoin de tous les joueurs de la Horde de l'Alliance, les débutants comme les experts, pour tenter d'habiter tous les recoins de l'expérience humaine et peut-être lui éviter l'autodestruction. Et pour moi, tu fais partie des experts.*

— *Mais, Dieu*, je me suis calmé, *la vie humaine est pas un jeu. Et oublie pas qu'en dehors, je suis un raté.*

— *Tu ne me feras pas croire qu'un héros virtuel est un cancre réel, Benj.*

— ..., j'ai tapé pour montrer qu'il m'avait bouché, puis ... *je... vais réfléchir...*

— ..., il a tapé pour montrer qu'il était d'accord.

— *J'aime pas tellement que t'essaies d'influencer l'intrigue,* j'ai cependant ajouté.

J'ai continué à réfléchir à la question pendant un bon moment, même si je t'épargne les points de suspension, et j'ai finalement proposé un pacte à Dieu.

— *On fait semblant que je suis indécis et que je peux encore réviser ma décision finale. Mais je te garantis rien,* j'ai dit parce qu'après tout, c'est vrai qu'on ne sait pas encore ce que le héros peut faire.

Avec toutes ces histoires de salon et de Dieu, on est en train d'oublier que j'ai d'abord accompagné Divine, de son prénom impossible, Soleil, de son nom encore plus improbable, jusqu'à son travail au dépanneur du coin, elle qui commençait à être en retard à cause de notre rencontre. Évidemment, tu sais pas qui est Divine Soleil parce que je t'ai pas encore expliqué que j'ai connu cette fille en étant assis sur la clôture de fer « Pas de vélo » du salon d'où je venais de sortir. « C'est pas écrit "Pas de derrière"... », je me suis dit, et heureusement, parce que j'avais les pieds complètement bétonnés et que je pouvais pas faire un pas de plus. Cette retrouvaille de trop tard avec une morte que j'avais cherchée vivante me tombait vraiment dessus. Je me sentais vieux comme jamais je serais. Un vieillard de seize ans. Je restais là, les yeux prostrés au trottoir, le souffle rare, la tête embrouillée dans des pensées tout éparpillées qui voltigeaient loin de moi. Pour te dire, j'avais à peine conscience des tiges de métal qui me perçaient les fesses. C'est là que deux pieds se sont plantés devant moi.

— C'est comment ?

Je pouvais pas répondre à des simples pieds sans savoir à qui ils appartenaient, mais j'arrivais pas non plus à redresser la tête. J'ai raconté n'importe quoi comme :

— OK, je la mange pas ta clôture, donne-moi deux minutes pis j'm'en vas.

— C'est pas ma clôture, pis tu peux rester dessus tant que tu veux. C'est juste que ça doit pas être des plus confortables, mettons... En tout cas, ça te regarde... Si le *doorman* sort pour t'engueuler, tu lui diras de ma part qu'y peut se faire enculer sur sa maudite clôture.

— *Doorman* ? C'est pas un bar ici, c'est un salon funéraire.

J'ai réussi à trouver un regard en visant un peu plus haut. Une fille. Pas très grande. Délurée. Déliée. Bien en chair. Une guerre déclarée dans les cheveux. La peau qui luit comme une nuit en plein soleil. Tellement que j'ai cligné des yeux et que j'ai rebaissé la tête ; je suis tombé cette fois sur des jambes d'ébène, fermes et lisses. Ma main s'est échappée vers ce bois lustré. Invitant. Je l'ai rattrapée au dernier moment.

— M'en fous, a dit la fille, y a des *doormen* partout.

Puis, elle a repris en tremblant de la voix :

— Elle...

J'ai attendu la suite. Qui est pas venue. Cette fille restait là, comme une aiguille fichée dans un cœur. Une douleur. Noire. Un long moment a passé.

— Raph... a finalement fait sa gorge nouée.

Je me suis redressé d'un coup.

— Tu la connais... sais... ?

Cet imparfait nécessaire m'a fait me rasseoir d'anéantissement. Comme en rêve, une grande fille flamboyante est apparue entre nous, avec ses longues jambes qui couraient très vite, une fille que tout homme avait envie de sauter, même son « faux père », comme elle l'appelait. Un chaud lapin qui courait plus vite qu'elle, malheureusement, comme j'allais bientôt l'apprendre.

— J'ai connu Raph. En enfer. C'était ma meilleure amie... Et toi ?

J'en revenais pas. J'avais cherché si longtemps un allié, une complice, quelqu'un de l'entourage de Raph qui aurait pu m'aider à la retracer. Je la trouvais, elle. Trop tard. Mais quand même. J'ai dit :

— On était à l'école primaire ensemble, en deuxième année. Tous les deux on avait doublé. Tous les deux on savait pas encore lire, on était des hyper ratés. Je suis allé une fois chez elle, y avait beaucoup de monde, un bébé qui pleurait, et un plat refroidi avec des bananes frites sur la table. On en a mangé avant d'aller se perdre dans la ruelle pour retrouver ma maison... Mais quand je suis arrivé chez nous... En tout cas. Elle nous faisait rire en imitant la remplaçante qui nous donnait des sueurs et on se partageait les punitions. Je voulais l'inviter chez nous, mais elle a disparu de l'école, du quartier, je l'ai plus jamais revue. Jusque...

— Jusqu'à aujourd'hui...

J'ai hoché la tête. La fille s'est assise à côté de moi sur la clôture. Des perles se sont mises à goutter dans ses paumes retournées sur ses genoux comme des réceptacles d'eau bénite dont Solange, ma vieille Haïtienne de la rue, se signe à l'église. C'est donc comme ça qu'on les remplit, je me suis dit. Je savais pas quoi faire avec les larmes de cette fille, qui menaçaient les miennes. Alors, j'ai pris ses mains, j'ai baigné mon visage dedans et j'ai attendu. Quand les mains, lentement, se sont retirées, j'ai levé la tête. La fille s'est mouchée.

— Comment tu l'as su ?

— Le journal.

De nouveau le silence. Un peu gêné.

— Qu'est-ce que tu dirais d'une bière pour se remonter le moral ? Y en reste deux dans le frigidaire de mon père...

— Tu veux pas y aller ? j'ai fait en montrant le salon.

— J'y arrive pas, elle a dit en secouant la tête.

— C'est loin chez ton père ?

— Deux coins.

— Moi, c'est Benjamin. Toi ?

Elle a prononcé son nom très vite en me tournant le dos et j'ai été obligé de lui faire répéter.

« Di-vi-ne-So-leil », il a fallu que je le redise plusieurs fois en marchant. Son nom entrait dans ma bouche mais pas dans ma tête. Elle me laissait faire. Elle avait pas l'air de me trouver idiot. Après la bière, je l'ai accompagnée à son travail, comme j'ai prédit tantôt.

— Maintenant, j'essaie de vivre dedans plutôt que dehors, elle a dit avant d'entrer dans le dépanneur, comme gênée de s'excuser de travailler.

Avant, elle restait debout devant la vitrine pendant des heures, j'ai compris, à faire ce que j'ai compris aussi, pour des clients qui passaient. Et je la regardais quand même sans comprendre, en la trouvant trop belle pour le massacre. Même si elle avait déjà quelque chose d'usagé et qu'elle tentait d'y échapper.

— T'aurais dû t'enfuir plus loin, j'ai fait en lui tenant la porte et en la trouvant bien mince. Il faut être prudent avec les univers interpénétrables.

Je sais de quoi je parle, moi qui vois des personnages échappés d'Internet partout, comme tu vas le constater ci-dessous.

— Les parois sont toujours minces, de toute façon, entre deux réalités, elle a répondu avec un sourire de bravoure.

Mais son regard était triste.

— Il y a sûrement moins d'argent à l'intérieur qu'à l'extérieur, tu vas pas tenir le coup.

— Combien tu gages ?

Ces dernières paroles ont résonné longtemps sur le trottoir pendant que je marchais n'importe où. Elle avait peut-être raison au fond. La détermination est une question de foi qui a plus rien à perdre. Mais j'osais pas penser au même enfer que Raph, parce que ça faisait trop mal. Et je voulais pas entendre la révolte de mon cerveau qui disait : « Pourquoi Divine est-elle vivante, elle, maudit boutte de l'enfer ? » Avant que tu trouves ça drôle, il faut que je te dise que j'ai emprunté ce juron à Mamie, qui l'avait elle-même adopté de son mari mon grand-père, à son décès. Je l'utilise depuis qu'elle s'est tue, pour pas que la tradition se perde et parce que ça décrit généralement très bien la situation, même si Philémon trouve que je devrais attendre d'être moi-même grand-père, ce qui risque pas d'arriver pour la raison que tu sais.

« Di-vi-ne-So-leil, j'ai articulé encore une fois pour moi-même. Tu parles d'un nom. »

J'étais encore tout remué de cette rencontre inopinée avec la meilleure amie de Raph.

Trop tard. Je suis arrivé trop tard. Même en étant parti tôt. Comment ça se fait, maudit boutte de l'enfer ?

La bière que j'avais ingurgitée me tournait un peu la tête et me faisait transpirer. Des gouttes de sueur me brûlaient les yeux et coulaient sur mes joues. Dans les vapeurs d'asphalte, ma sœur d'âme marchait plus que jamais à mes côtés. Je croyais l'entendre respirer avec la ville.

— Trop tard, me chuchotait-elle à l'oreille, c'est trop tard...

À la fois si lointaine et si vraie. À tel point que je me suis retourné.

— Hein ? j'ai fait à l'adresse du vide.

Un homme m'a dépassé en me jetant un œil de travers. « Encore un gars saoul », devait-il se dire, mais on s'en fout. Je voyais que mon amie, plantée dans mon regard brouillé.

— Raph...

L'image floue s'est liquéfiée et m'a laissé en pleine débâcle sur une mer de béton armé.

C'est après ça que je suis entré dans le café Internet de tout à l'heure, que j'ai éliminé Benj et conclu le pacte divin. Je raconte pas toujours les choses dans l'ordre, mais enfin, tu me suis. En sortant, le fantôme de Raph s'est mis à me recoller les semelles de sa présence subtile. Je me suis assis sur le premier banc qui m'est passé par la tête pendant que la nuit nous attrapait et je suis resté en tête à tête avec ce qui avait été son univers jusqu'à tout récemment. Le temps avait la dimension spéciale des jeux virtuels, qui nous fait l'oublier complètement. Toutes sortes de personnages se mouvaient autour de moi sans se presser et en faisant semblant de rien. J'en reconnaissais certains, malgré leurs déguisements. Les gnomes, surtout, sont faciles à remarquer, même s'ils sont plus grands que nature, mais tout aussi tordus. Ils marchent généralement en traînant quelque chose de raide : un pied, une jambe, un bras, une tête qui revient à personne et qui parle toute seule... Et ils sont défraîchis. Il y en avait justement plusieurs dans ce carré de misère, qui arpentaient le vert sans le voir et qui côtoyaient la fontaine sans entendre sa rumeur. Ils sont ailleurs, dans un monde pour eux seuls, peuplé de leurs propres démons qui nous ressemblent pourtant.

— Puisque nous sommes une seule humanité, a dit DieuWeb.

C'était la première fois que je pensais à chercher du semblable dans le différent. Tout à coup, je me suis dit qu'il pourrait tout aussi bien être ici, dans ce parc, à traîner sur un banc d'observateur et j'ai commencé à détailler encore plus les hommes, surtout avec des barbes. Il y en avait un, avec des gestes pour chasser des mouches imaginaires, mais il était tellement jauni que je pouvais pas y croire. Je me suis quand même approché, au cas où Dieu serait un as du subterfuge, et j'ai demandé :

— Tu serais pas Dieu, par hasard ? en hésitant dans son cas entre le troll et le gobelin.

Il avait pas l'air d'entendre parce qu'il a pas réagi, mais quand je me suis retourné pour partir, il a proféré dans le vide :

— Dieu est partout !

— Alors, c'est toi ? j'ai insisté.

— Chut, il peut nous entendre !

Il est devenu tout effrayé en regardant autour et il a chuchoté :

— Il veut nous exterminer.

Bon. J'étais vraiment pas sûr de continuer, même s'il avait peut-être pas complètement tort, après tout. Si Dieu est aussi nocif qu'il le prétend lui-même, comme il m'a déjà clavardé, ça pourrait arriver qu'il veuille en finir avec nous. Et je sais pas si je serais contre. Mais tout de même. Il y a toujours une vérité partout, je me suis dit. Le problème, c'est de tomber dessus.

Philémon, il trouve que je suis vraiment bête de poser des questions comme ça à un «*fucké* d'itinérant», mais on sait jamais avec les choses possibles. Bref, j'ai renoncé en me disant que ça devait pas être lui. J'ai quand même identifié quelques elfes, des orcs poilus à éviter, un troll évident et même un cyclope ! Il paraissait pas de loin, sur le côté, mais de face, il était très visible, avec une sorte de verrue à la place, et qui tendait la main pour te quêter en passant. Et encore, plusieurs farfadets spécialisés dans la distribution de voyages fantastiques. J'ai choisi un joint que j'ai mis dans ma poche de poitrine, pour les besoins de courage. Et j'ai reçu en prime un comprimé de joie «Aye, *man*, essaye ça, t'en reviendras pas...». Je me méfie de la drogue inconnue, grâce à Philémon qui l'a lu sur un site Internet de recherche et d'intervention psychosociale. Il m'a expliqué la tactique de te donner la première extase gratuite pour t'accrocher ensuite à on sait pas trop ce qu'il y a dedans et qui peut t'abrutir la physiologie et autre, en sorte de légume plus ou moins végétatif qui erre dans les rues à la recherche d'une autre dose. Raph a de nouveau respiré dans mon cou :

— Regarde ce qu'elle a fait de moi.

Je me doutais bien qu'elle l'avait essayé, et plus, mais je l'ai bousculée du banc parce que je voulais pas savoir qui avait fait quoi pour le moment. Une chose à la fois avec les douleurs répercussives.

Je te parle surtout des sortes de joueurs que je connais, mais il en passait aussi des moins certains, comme un couple d'amoureux que je voyais qu'à moitié, collés sur l'autre. Je les regardais sans faire exprès, parce que j'aimais bien la démonstration pour embrasser une fille aussi longtemps sans s'étouffer, même si je dispose d'aucune pour le moment, et parce que j'espérais l'étape suivante qui se faisait attendre en étant sans doute pas publique. En fait, je guettais Solange, ma vieille Haïtienne, avec son panier d'épicerie plein de cochonneries qu'elle ramasse surtout dans les poubelles et ses sortes de Bibles propagandistes de je sais plus quelle religion des derniers jours. Je voulais la relever de ses services de recherche pour Raph. Mais elle devait magasiner ailleurs parce que je l'ai pas vue.

Je me suis levé pour partir quand le Barbe-Jaune qui avait pas élucidé Dieu est venu vers moi. Il m'a encore fait chut ! de sa bouche tordue avec un doigt devant l'autre et il a tendu un long bâton tout lisse, noirci sur le collet, avec un nœud de pommeau sculpté en tête de sorte de bête à barbiche et à cornes, tout en regardant par-dessus ma tête qui est quand même assez haute. Je l'ai pris et j'ai remercié en me retournant pour être sûr que c'était bien à moi et pas pour un autre derrière, vraiment impressionné par cette œuvre d'art. Mais sans écouter, à sa manière habituelle, il a craché au ciel :

— Envoye Dieu au diable !

J'ai souri dans ma barbe en m'éloignant, parce qu'après tout, c'est un peu ce que je venais de faire en lui fermant la ligne Internet au nez, non ? Mais il faut rien prendre à la légère avec les prophéties sans abri, comme tu vas le voir. Et c'est là que, mon bâton de Dieu, ou de Diable, à la main, je me suis revêtu en pèlerin. Et je te jure que j'ai rien prémédité.

Après tout, il faisait chaud, c'était presque l'été, les fils de la vie étaient lâches, les nécessités scolaires et autres perdaient du poids de la tête, plus rien empêchait de s'égarer. Ma nouvelle sorte de canne me donnait de l'assurance. Elle m'entraînait presque. Je la regardais me guider et je voulais croire à ses pouvoirs. Si Dieu est réellement partout, comme le prétend Solange, il pouvait aussi bien se trouver dans la brebis galeuse à barbe jaune qui m'avait confié cette arme de pèlerin. Avec ce bâton spécial, j'étais protégé, c'est sûr, des hasards du chemin. Plus besoin de clôture de fer : je pouvais m'appuyer. Je connaissais pas encore très bien les règles du nouveau jeu qui se proposait, mais de l'un à l'autre, ça pouvait que revenir au semblable. N'étais-je pas un expert, selon Dieu lui-même ? Dans ce cas, je vais te révéler une chose que tous les vrais joueurs interactifs et autres savent : les règles s'apprennent pas en lisant des instructions mais en jouant avec l'intuition. Et puis, qu'importe combien de vies on a quand on va vers sa fin. Je pouvais bien tâter le noir du gouffre. Plus rien avait d'importance. Je l'ai dit à Dieu dans un autre café Internet et en jetant mes dernières pièces à la mer informatique.

— *Je crois que je vais me recycler en dernier pèlerinage,* j'ai tapé.

— *Tu te laisses vraiment partir à la dérive, Benj,* il a répondu.

— *De toute façon, ça fait longtemps que c'est commencé. J'arrête juste de faire semblant que mes pieds touchent le fond.*

— *Essaie tout de même de prendre soin de toi dans la débâcle...*

Il me surprenait de dire ça. Je devenais si peu important dans l'emmêlement des choses précipitées. Ses mots arrivaient pas à se faufiler en moi. L'armure était calfeutrée. Tous les joints, scellés. Comme il arrive dans les situations extrêmes de la précarité. Mais n'avais-je pas enfin ce que j'avais toujours voulu : une contenance ? Tu sais pas ce que c'est de vivre éparpillé tout le temps. C'est très essoufflant. Pour une fois que j'étais rassemblé, compact, la parole divine ne pouvait que rebondir sur le métal en sortes de chocs électriques. Et pourtant. Elle était lancée. Comme les dés, ces autres sortes de bouées. Qui sait, elle révélerait peut-être une prophétie rédemptrice, le moment venu ? Tu te dis sans doute que « rédemptrice » fait pas partie du vocabulaire d'un gars de seize ans. Moi aussi. Mais ça rend tout de même vraiment l'idée du mot approprié.

— *Merci de ton écoute,* j'ai écrit à Dieu, parce qu'il a quand même été chouette de sa présence.

— *Je suis avec toi, Benj. Quand tu veux.*

— *Ça sera pu nécessaire,* j'ai ajouté en sentant la rue me tirer par la manche.

— *Sois béni, chevalier Benj, dernier de la valeureuse famille des Aminn,* il a conclu.

Au moment où la phrase de Dieu s'écrivait, le serveur du café m'a déversé vraiment par hasard quelques gouttes – d'eau, j'espère – sur la tête penchée en passant avec son plateau plein de verres, et sans s'excuser. J'ai essuyé le liquide qui me dégoulinait sur les yeux en me serrant la gorge, parce que c'était tout de même la première fois que quelqu'un me bénissait, et j'ai terminé :

— *C'était bien de te rencontrer, malgré le manque de photos. Et je me retire pour les choses un peu méchantes que j'ai pu dire.*

— *Ça va, Benj. Sois prudent, chevalier.*

Je pouvais pas lui expliquer que la prudence avait plus rien à cirer, parce que j'avais déjà dépassé le temps Web que je pouvais payer et que la rue, derrière moi, s'impatientait. J'ai étalé mon dernier dollar sur le comptoir en retournant mes poches pour montrer que c'est tout ce que j'avais et le patron était pas content, évidemment, mais il a fini par me dire de déguerpir pour toujours, ce avec quoi j'étais bien d'accord. J'ai seulement ouvert la porte et la rue m'a avalé.

J'ai marché vite au cas où il changerait d'idée, puis je me suis calmé de son manque de poursuite et j'ai enfin respiré. Il restait un dernier fil à couper. J'ai vérifié mon téléphone à la carte, il y avait deux dollars trente-cinq, juste ce qu'il fallait pour laisser un message :

« Philo, je voudrais que tu ailles serrer Mamie pour moi à l'hospice. Longtemps. Promets… S'il te plaît… Et va pas inquiéter les parents… »

Le bruit de la rue entrait dans le téléphone et je savais pas comment finir, je cherchais les mots ; comme toujours, ils faisaient défaut, et le temps passait, alors j'ai ajouté très vite « Je t'aime », en conclusion. C'était un peu bête de dire ça comme adieu à son meilleur ami, même si c'était vrai, je voulais pas qu'il s'imagine des choses. J'ai essayé de me reprendre, « Je veux dire... », mais la ligne a raccroché. Et je suis devenu l'ombre de la rue.

C'est très pratique d'être une ombre. Parce que tu peux faire vraiment tout ce que tu veux devant témoin qui s'en fout. Ça le devient moins quand tu te mets à avoir faim et que personne voit ta main tendue. Mais commençons par le début, qui est très exaltant. Imagine, tout à coup, un unique bâton sculpté qui t'est remis par un envoyé spécial et qui suffit à faire basculer ton existence déjà chambranlante. Tu te retrouves dans une réalité que tu aurais jamais crue : tu marches dans la rue sans être vu, totalement libéré des contraintes antécédentes et tu apprécies vraiment de voyager léger. C'est incroyable, le poids des choses. Tu te rends compte qu'on peut très bien vivre sans. Ça te rassure et te soulage. L'argent, la richesse, les possessions, le niveau de vie, tu saisis que c'est pour se distraire de la survie qui est toujours là, camouflée derrière. Avec les horaires qui s'évanouissent, le temps ralentit et devient accessoire. Cette liberté-là, avec rien d'autre que moi pour bagage, je la reprendrais n'importe quand. La chose que je reprendrais pas, c'est le prix qu'elle a. Comme toute le reste, dans ce monde de mercantiles que nous sommes. Une autre chose que je savais pas non plus, c'est que le poids des êtres, lui, prend jamais congé et qu'il allait bientôt me rattraper. En attendant, je profitais des petites ailes d'euphorie qui me faisaient flotter la semelle juste un peu au-dessus du trottoir, et sans autre recours de substances. Mon bâton avait l'air de savoir où aller et je le suivais. Je reconnaissais au passage des endroits précis où Raph avait dû s'arrêter, flâner, frapper et souffrir, rire et pleurer. Comme cette porte miteuse entre deux fonds de ruelles, qui laissait des seringues déborder de la poubelle. Son fantôme continuait d'habiter mes pas. Pourquoi j'avais pas rencontré plus tôt ce Barbe-Jaune de parc et reçu bien avant ce bâton ? J'aurais pèleriné tout de suite dans la bonne direction et Raph serait sur le même plan plutôt qu'en toile de fond, comme un avatar défunt. Une autre récrimination que je pourrais adresser à Dieu, peut-être en personne, une fois mon pèlerinage dans la vie terminé, ce qui reste le moyen le plus sûr de savoir s'il existe réellement, comme je me suis déjà obstiné sur le sujet avec Solange. J'étais en plein questionnement sur une possible résurrection de Raph si je réussissais le jeu en refaisant tout le chemin à l'envers, comme dans le film *Retour vers le futur* qui est un classique de mon père, parce qu'on peut inventer la fin qu'on veut quand on la connaît pas, surtout dans un roman pas fini. C'est à ce moment que la loi de la jungle universelle, qui sévit en permanence, m'est tombée dessus.

— Besoin de queque chose ? m'a demandé un farfadet douteux devant la sortie du métro.

Je l'ai regardé, étonné qu'il m'adresse la parole, moi qui me croyais plutôt invisible avec mon bâton. Comme je restais figé, il a dit :

— Regarde-moi pas de même, hostie de cave, sinon j't'arrache la tête.

— Relaxe, j'ai répondu, chu juste surpris que tu m'aies vu, en plus qui fait noir, pis j'ai besoin de rien.

— Décrisse. C'est mon spot, icitte.

Je sais pas comment il avait deviné que je cherchais une place où m'installer pour dormir ou quelque chose du genre, mais je me suis vite éloigné en retenant mon poing de lui enfoncer la figure, parce qu'il faut pas oublier que je suis un pèlerin sur les traces de sa disparue et non un combattant. Si on tient pas son rôle, le jeu marche plus et tout l'univers va de travers. En plus que tous les autres joueurs s'emmerdent à cause de ceux qui jouent mal. J'espère que tu le sais. Et les vaches seront bien gardées.

J'espère aussi que tu as compris que je venais de recevoir la première leçon du jeu, qui montre que ceux de la rue sont invisibles seulement de ceux qui ont un niveau de vie, et un lit compris. Oublions pas que les derniers doivent rentrer chaque matin dans la prison du travail pour garder leur priorité et que ça les tient très occupés avec eux-mêmes. Pendant que les uns se reposent de leurs obligations, entre les autres, c'est la pagaille de la férocité que personne imagine et, surtout, que personne veut savoir. Sauf les policiers qui, eux, sont payés pour garder tout le monde le plus invisible possible et quelques sauveurs de rue qui distribuent des hot dogs de nuit gratuits dans leur motorisé miséricordieux, pour attirer les affamés de tout qui ont rien à se mettre sous la dent et leur reforger un semblant de dignité qui se désagrège à mesure. C'est tout de même rassurant de penser qu'il y a au moins quelques humains de la Horde de l'Alliance qui trouvent important de garder les déchus dans leur clan, qu'ils soient de la race des trolls, gnomes, gobelins, korrigans, elfes, farfadets ou même des orcs redoutables. Je serais plutôt d'accord avec eux, sauf pour les orcs qui, je te l'ai dit, sont les moins recommandables de tous parce qu'avec eux, on est sûr d'avoir des ennuis.

Il en sortait justement deux du dernier métro, qui rigolaient en me regardant de travers et qui se sont mis automatiquement sur mes traces.

— Aye, toé, viens icitte.

J'essayais de pas m'attarder dans leurs jambes, mais j'étais pas aussi rapide en vrai que dans les jeux en ligne parce que c'est pas du tout le même entraînement physique que de peser très vite sur un bouton de clavier. J'ai encore accéléré, mais ça les a plutôt enragés et ils se sont carrément mis à courir pour me rattraper. Je crois que je les aurais quand même semés si je m'étais pas enfargé dans mon bâton de pèlerin qui m'a fait étendre sur le ventre en plein trottoir, ce qui arrive jamais non plus dans les jeux virutels, qu'une arme se retourne contre toi. Je l'ai tout de même saisi à deux mains en me retournant au plus vite sur le dos pour repousser le premier qui se jetait sur moi et qui a volé un peu plus loin sur la chaussée pendant que le second arrivait et que je lui massacrais un coup sur la tête. Mon bâton a pas bronché, mais l'orc, oui, en s'allongeant tout mou de sa longueur, et j'ai pas attendu qu'ils se relèvent tous les deux pour m'enfuir avec la poudre d'escampette qu'ils avaient échappée de leur poche. Ouf ! J'étais sauf pour le moment, assis entre deux poubelles de ruelle pour reprendre mon souffle, et je me suis endormi, je crois, avant de l'avoir retrouvé, ce qu'il faut habituellement éviter dans tout jeu qui se respecte, tant qu'on est pas sûr d'avoir semé ses poursuivants. Mais il faut dire qu'on se fatigue moins sur le *keyboard* que sur le *boardwalk* urbain – comme tu vois, je sais quand même un peu d'anglais pour un raté scolaire –, et donc que les données sont différentes dans la vraie vie. Je devrais m'ajuster à la réalité du moment.

En me réveillant d'un seul coup, j'ai réfléchi que c'était pas une manière de se défendre pour quelqu'un qui veut mourir et que, la prochaine fois, je devrais changer de tactique pour profiter de leur offre d'en finir avec moi, si j'avais le courage. Je me suis relevé plein d'odeurs nauséabondes qui m'ont malgré tout jeté l'estomac dans les talons. J'ai marché sur une rue déserte que je connaissais pas en espérant trouver un dépanneur 24 heures, même si j'avais plus un sou, et devant un métro inconnu, j'ai regardé la carte de la ville pour essayer de trouver où j'étais. Mais aucune rue ne révélait le mystère. Il faut dire que j'ai jamais été très bon avec la géographie des lieux et que je me perds sur un dix cennes, comme dit mon amère. C'est là que j'ai pensé à elle, qui menaçait de me tenir compagnie dans ces dédales sombres, mais je l'ai vite chassée de mes yeux en me doutant que son angoisse naturelle me tordrait trop facilement les boyaux jusqu'à la maison.

— Plus tard, m'man, j'ai marmonné en secouant énergiquement la tête. J'ai une mission à accomplir.

J'avais cependant besoin d'aide et la seule qui connaissait les lieux, c'était bien le fantôme de Raph. Je me suis retourné pour la chercher dans mon ombre, mais on dirait que je les avais semées toutes les deux dans la bagarre. Je me suis laissé glisser sur le sol, complètement découragé, au moment où j'ai pensé qu'étant moi-même une ombre, je pouvais pas avoir d'ombre, et je me sentais perdu, sans Raph à mes trousses et sans rien d'autre devant moi qu'un chat errant. Un chat ? Il fallait le suivre, s'est réveillé l'avatar Benj en moi, qui a compris le premier qu'un félin flaire les poubelles des restaurants et peut-être aussi des dépanneurs. Bon, suivre un chat est aussi plus difficile en vrai qu'en virtuel, mais j'avais pas le choix de me faufiler entre les décorations de ruelles si je voulais pas le perdre de vue. Et allez donc vous y retrouver dans le noir quand on sait que, la nuit, tous les chats sont gris. J'allais renoncer quand une porte s'est ouverte d'un coup pour laisser sortir quelqu'un avec une cigarette, qui s'est appuyé contre le mur pour fumer. Il m'a regardé, surpris, puis il m'a dit :

— Qu'esse tu fais là ?

— Euh, je suivais le chat. T'aurais pas vu un dépanneur 24 heures ?

— T'es du mauvais côté. Fais le tour. Y faut entrer par en avant.

— Euh, bon, j'ai fait. Mais toi aussi.

— Ouais, ben, avant que t'arrives y avait pas un chat, justement.

J'ai failli m'en retourner parce que je venais de me rappeler que j'avais pas d'argent. Mais la faim a été plus forte que moi. Dans le dépanneur, j'ai pris presque tout ce qu'il y avait du comptoir lunch pour le mettre sur le comptoir caisse et l'employé m'a regardé.

— Ben dis donc, c'est pas juste une petite fringale. Tu le suivais depuis combien de temps, ton chat ?

Je stressais de voir monter la facture et je me sentais comme un condamné à la famine à vie qui attend son verdict, mais que pouvais-je faire ? Quand il a donné la sentence « vingt-trois et cinquante-quatre », j'ai mis tout ce que j'avais devant lui et j'ai dit :

— Choisis ce que tu veux.

Il y avait mon joint de poche, plus le comprimé imprimé Joy, plus le sac de poudre des orcs, plus mon cell.

— Wow ! il a fait en regardant à gauche et à droite, attends-moi une minute.

Et il s'est penché de côté du comptoir pour accrocher un fil en disant :

— Oups ! La télé de sécurité qui vient de sauter. Hon ! Le patron va pas être content..., et en faisant disparaître le petit sac dans ses poches.

Personnellement, j'aurais pris autre chose à sa place, mais il avait l'air fier de son affaire.

— Merci, vieux, t'es un frère, j'ai ajouté pour faire comme dans les films.

Et lui :

— Repasse quand tu veux, *man*.

Tout s'est bien conclu, finalement, et quand je suis sorti sur le trottoir les bras pleins, le chat gris m'attendait en pleine face, patiemment assis et en miaulant le désespoir. C'est vrai qu'il était plutôt maigre, alors je lui ai partagé un sandwich au jambon parce qu'après tout, il avait fait le travail. C'est là que je me suis gagné un allié qui avait rien à dédaigner parce qu'il a presque plus arrêté de me suivre, ce qui est toujours bon dans n'importe quel jeu vidéo et qui peut même te faire gagner des points.

Une fois le ventre plein, il me restait même quelques provisions que j'ai gardées pour la route et comme je savais pas où aller et que mon bâton se reposait paresseusement de me diriger – ce qui est un mystère à élucider –, j'ai regardé le chat se lécher les babines et tout le reste pendant un bon moment. Quand il a pris une direction, je l'ai suivi, conscient que j'avais sous la main un guide gratis, enfin presque, qui connaissait la ville comme le bout de sa queue. Il m'a ramené au parc de départ, qui était moins loin que je pensais et avec encore pas mal de créatures grouillantes. Je me suis trouvé un coin tranquille derrière la statue, la tête appuyée sur mon sac de restes, et j'ai essayé de dormir, en pensant que Raph y passait peut-être une partie de ses nuits, elle aussi, même si avec des occupations différentes. Mais la circulation humaine me dérangeait en groupes de fêtards un peu hurlants qui sortaient des bars et qui finissaient leur dernière bière éméchés, et aussi en ombres de toutes sortes qui hantaient les lieux et qui me questionnaient vraiment sur ce qu'ils faisaient à cette heure de la nuit et quels pouvaient bien être leurs motifs, à eux, à part la chaleur. C'est là que Raph est réapparue à mon oreille pour me décrire le tableau :

— Lui, c'est un pimp. Marchandeur d'innocence, il vendrait sa mère. Lui, c'est un chenapan, saoul comme toutes les nuits, une fois qu'il a volé suffisamment de sacoches pour se payer une cuite et qui peut devenir violent en un coup de vent. Elle, c'est une psychiatrique qui se met à t'engueuler et à te battre sans que tu saches pourquoi. Lui, qui a l'air d'un monsieur gentil, propre et bien élevé, c'est un croqueur de jeunes garçons. Et lui, à droite, c'est le plus vicieux. Qui te donne de la came pour t'accrocher et qui te mène ensuite au pimp pour te faire gagner ta dope avec ton sexe.

— Arrête, j'ai supplié, comment tu veux que je dorme au milieu de tous ces monstrueux qui t'ont arnaquée dans leur piège ?

— Tu vas t'habituer à la pourriture, elle a répondu, avant d'ajouter en me donnant la clé de son rôle dans le désastre :

— C'est le pouvoir d'attraction qui m'a eue. Et le manque de protection.

Je sais pas si tu te rends compte que Raph me donnait la deuxième précieuse leçon du jeu : se trouver une protection contre la force d'attraction. Pendant que je l'avais sur l'épaule, j'en ai profité pour lui demander :

— Et les égratignures sur ta joue, que j'ai vues au salon ?

— Mes ongles, quand j'étais suspendue et que j'ai voulu arracher la corde de mon cou. Il y a encore des bouts de chair en dessous.

Comme j'espérais pas tant de détails, mon cœur est monté d'un seul coup dans ma gorge et je suis allé le vomir dans le buisson avec ma collation.

— Mourir est pas si simple que ça, a continué Raph quand je suis revenu. Il y a toujours une part de soi qui souhaite autre chose.

Puis, elle est disparue pour me laisser réfléchir à la vie qui fait des soubresauts même quand la mort veut la tuer, et ainsi de suite dans une lutte incessante entre les deux. C'est pas la vie que le suicide veut arrêter, j'ai compris, c'est la souffrance. Ça m'a fait penser à ma propre disparition annoncée. Comment donner congé à la souffrance sans bousiller la vie qui va avec ? C'était peut-être ma réelle mission de trouver une réponse à cette énigme, qui rendrait par la bande ce monde moins cruel. Hein, Iphi-Génie ? Qu'est-ce que t'en dis ?

Le ciel s'est mis à se débarbouiller et, du coup, tous les vampires se sont volatilisés. J'ai enfin pu m'assoupir. Je venais juste de fermer l'œil quand mon oreiller de provisions a commencé à vouloir s'en aller, ce qui me l'a fait rouvrir, au moment où le chat gris me sautait sur la tête comme un enragé. J'ai reçu ses griffes en plein visage pendant que je me relevais pour me défendre d'un coup de bâton, pensant qu'il se retournait contre la main qui l'avait nourri, mais j'ai arrêté mon élan en constatant qu'il avait une bête pendant de la gueule, presque aussi grosse et grise que lui, avec une mauvaise queue dégarnie, et qu'il s'est mis dans un coin pour la dévorer après me l'avoir paradée sous le nez en grondant de fierté. J'ai alors eu la preuve du jeu que je pouvais vraiment compter sur lui, qu'il veillerait sur nos provisions jusqu'à la mort de tous les rats de la ville. Pendant qu'il se frottait sur moi en ronronnant, je l'ai nommé Allié-Gris, et il s'est endormi dans mes bras, ce que j'ai pas tardé à faire non plus, maintenant que je tenais ma protection.

Je me suis réveillé bien après l'heure de pointe, sans entendre les klaxons qui viennent habituellement me chercher dans mon lit, parce que je rêvais que le dessous de mes bras avait pris feu. En ouvrant les yeux, j'ai vu que c'était pas tout à fait un rêve : ils étaient tout rouges jusque dans les paumes renversées sur mes yeux, à cause du soleil qui brûlait vif. En voulant faire ma toilette dans la fontaine, j'ai croisé mon reflet avec un drôle de masque en forme de doigts blancs de chaque côté des yeux cernés, entouré de rouge, de griffures et de touffes de barbe qui repoussaient, ce qui était vraiment pas mon meilleur, mais bon, les pèlerins ont pas les moyens de faire les difficiles avec leur apparence. C'est là qu'un troll à tête de Mohawk et tatous partout m'a dépassé en me demandant :

— Viens-tu déjeuner ?

J'ai dit oui, bien sûr, et je l'ai suivi jusqu'à une sorte d'auberge de jeunesse qui s'appelle Pops, mon bâton à la main tout ankylosée et Allié-Gris sur les talons. Mais le pauvre a refusé d'entrer quand il a entendu les dangers canins des autres visiteurs, enchaînés dans le portique et qui l'attendaient pour le dévorer en hurlant. Je lui ai gratté le menton en promettant de lui garder des délices s'il était patient jusqu'à mon retour, mais je savais pas encore qu'il fallait prendre une douche et changer de vêtements avant de manger à la cafétéria qui ne servait que des dîners à cette heure-ci. Le troll à tête de Mohawk a été très gentil de me faire visiter les lieux et de m'expliquer le fonctionnement, même que je pouvais revenir dormir gratis si je voulais, ce qui était une bonne nouvelle en cas de besoin. Jack L'Éventreur, c'était son nom, qu'il m'a dit en me montrant son *jackknife* dissimulé dans son *jackboot*, malgré le règlement qui interdisait les armes à l'intérieur. Et c'était vrai que tous ces Jack lui allaient bien, sauf L'Éventreur, qui était pas très crédible avec sa stature de troll, même avec un couteau. Jack m'a même présenté un gars correct, selon lui, qui voulait faire ma connaissance de nouveau venu dans la rue en posant des questions, mais en insistant pas pour les réponses tardives et qui m'a mis de la pommade pour soulager ma paume de main de son coup de soleil. Comme j'avais remarqué un ordinateur pendant la visite guidée, j'ai demandé si je pouvais prendre mes messages et j'ai appris qu'il fallait s'inscrire pendant une heure chacun, ce qui me donnait la place de 17 h. J'ai dit que je reviendrais parce que j'avais une bouche à nourrir sur le trottoir, mais quand je suis sorti, Allié-Gris avait disparu. Je l'ai appelé en marchant et il a fini par apparaître en miaulant le désespoir que j'étais très en retard sur l'horaire prévu. Mais il m'a tout de suite pardonné en voyant la cuisse de poulet que je lui avais mise de côté dans une serviette de table et qu'il a dévorée en croquant soigneusement les morceaux. Chez mon père, les chats ont pas le droit de manger les os pour cause de perforation possible, mais bon, c'était pas le moment de faire des garnitures. J'ai failli penser à mon père qui devait se faire un sang de bouteille en m'attendant, mais c'était pas le moment non plus si je voulais remplir ma mission. Son repas terminé, Allié-Gris s'est frotté contre ma jambe et j'ai vu qu'il perdait des touffes de poil jusqu'à la peau toute rose. Je lui ai quand même demandé le chemin de la piquerie, parce que je voulais constater les dégâts de Raph sous mes yeux, mais il devait pas le connaître parce qu'il m'a égaré dans un dédale de ruelles. J'étais bien avancé pour mon rendez-vous de 17 h avec l'ordinateur parce que je savais même plus de quel côté trouver l'auberge de jeunesse. J'ai demandé à une ombre filiforme qui frôlait les murs pour l'auberge Pops ; il m'a d'abord regardé sans comprendre, puis il s'est tapé la cuisse en riant que j'étais un petit comique et il s'est lancé dans une explication compliquée avant de poursuivre sa route. J'ai seulement retenu le début « au bout de la ruelle tourne à droite, marche quatre rues vers l'est et... » et la suite me reviendrait peut-être à la quatrième rue, mais elle ressemblait à n'importe quelle autre, dans les quatre directions. Je te le dis, le monde réel est encore plus fantastique que le royaume virtuel parce qu'à ce moment précis, je suis tombé nez à nez avec le faux père de Raph, qui m'a bousculé de son chemin en grognant sans s'excuser. Il avait presque pas changé depuis toutes ces années où je l'avais vu dans le cadre de porte, sauf ses épaules qui courbaient un peu par en avant de son torse épaissi, mais c'était bien lui, je l'aurais juré à sa démarche de grand primate en voie d'extinction. J'ai fait ni une ni deux en oubliant Pops et mon bâton l'a suivi de près jusqu'à un rendez-vous clandestin avec une fille plutôt moche, dans un coin de parc retiré, qu'il s'est mis à tripoter et qui l'a repoussé. Il l'a reprise et elle l'a repoussé encore en se tournant le visage de côté, mais il lui a donné une gifle et, cette fois, elle s'est laissé un peu faire, jusqu'à ce que je m'accroche le pied dans un détritus de cannette et que le mec la lâche en faisant semblant de rien pour s'en aller après lui avoir menacé quelque chose que j'ai pas entendu. La fille est restée la tête penchée sur le banc et je me suis approché pour lui dire au hasard :

— Attention, il va t'assassiner l'innocence, comme Raph m'avait donné la formule, la nuit dernière.

— Qu'est-ce que t'en sais ? a rétorqué la fille en reniflant avec un air mauvais.

— J'ai une amie qui a essayé. Elle est morte.

« J'ai peur », m'ont avoué ses yeux quand elle a relevé la tête, mais sa main a balayé le pénible de l'air pendant que sa bouche ricanait un « Ben voyons ». Tu me croiras pas, mais à ce moment, Raph s'est faufilée derrière elle pour lui souffler qu'elle avait encore le choix, et la fille a pensé que c'était moi. Alors, elle a rétorqué :

— J'ai pas la force.

Puis d'un seul coup :

— Veux-tu coucher avec moi ? Je te chargerai pas cher. Un spécial.

Comme elle m'avait pris par surprise avec cette offre inattendue, je l'ai détaillée en la trouvant pas particulièrement *sexy* et un peu trop de bourrelets qui débordaient du chandail, avec des boutons de visage. Avant que je réponde, elle m'avait déjà saisi la tête avec les mains pour me rentrer sa langue dans la bouche, ce qui m'a fait lever le cœur en m'éloignant.

— T'es malade ou quoi ?

Raph m'a rattrapé pour me dire que c'était une débutante, que les habituées embrassent jamais sur la bouche et qu'elle était sûrement en manque, ce qui était le prélude, en plus qu'elle devait de l'argent au « gros porc », qui avait fait le même stratagème avec elle et bien d'autres. J'ai trouvé son gros porc de primate de faux père particulièrement dégueulasse de lui avoir fait ça alors qu'il couchait déjà avec la mère et qu'il aurait dû plutôt faire le protecteur de son enfant, comme c'est supposé chez les pères, même faux. Mon poing s'est fermé tout seul en préparation de lui casser une bonne fois la gueule de primate, maintenant que j'avais grandi presque comme une porte moi aussi, mais il était encore le plus costaud. Raph m'a deviné en me mettant en garde :

— Te mets pas dans ses pattes, si tu tiens à la vie.

Ce qui était pas vraiment la chose à dire à un finissant.

— Qu'est-ce qu'on fait avec elle ? j'ai demandé bêtement à Raph, en hésitant tout à coup à laisser la fille dans les griffes du vautour.

— Emmène-la à Divine.

Bon. Je voulais bien suivre la prescription de Raph, en sachant comme joueur expert qu'on contrarie pas les revenants. Mon problème était de retrouver le dépanneur de Divine, vu que j'étais incapable de distinguer sa maison des autres dans toute la ville, comme je t'ai déjà dit que j'ai un manque sérieux de repères naturels. Je pouvais pas vraiment me fier à Raph, qui se dissipait comme bon lui semble, en venant justement de refaire la démonstration.

— Écoute, j'ai dit à la fille, je coucherai peut-être plus tard, pour pas te décourager, même si je t'avertis que t'es pas vraiment mon genre pour bander. En attendant, je connais quelqu'un qui peut t'aider, si toi, tu m'aides à la trouver.

Audrey, de son nom qu'elle m'a donné par la suite, s'est mise à pleurer dans ses mains : « Excuse-moi », et j'ai vu que la dope pouvait nous rendre bien bas dans l'estime, en deuxième étape de l'euphorie de délivrance du début, mais qu'au moins elle était capable d'avoir honte, ce qui était pas encore trop enlisé.

— Connais-tu un dépanneur au coin d'une rue principale ? j'ai demandé à Audrey.

Elle m'a regardé comme si j'étais un cybernaute d'une galaxie éloignée, ce qui est plutôt habituel des autres ados de mon âge. Mais bon, je l'ai traînée jusqu'au métro où son doigt tremblant a pointé quelque chose sur la carte du quartier.

— Là ?, elle a fait en me dévisageant.

Comme je répondais rien, elle a jeté :

— Câlisse, tu peux pas être plus précis, des dépanneurs au coin d'une rue, y en a des millions.

— On y va, j'ai dit pour faire diversion. C'est loin ?

— T'es débile ou quoi ? C'est devant ta face, elle m'a lancé en montrant la diagonale de l'autre côté de la rue.

— Non, chu juste dyslexique profond en géographie des lieux, j'ai répondu, insulté.

Ça ressemblait pas à mon souvenir, surtout d'épaisseur de porte, mais je suis tout de même entré au cas où. Alors ça, tu le croiras pas, mais c'était le dépanneur de la nuit dernière, avec le même gars au comptoir.

— Salut, *man*, il a fait, tout content de me revoir. Une autre fringale ?

— Tu dors jamais ? je lui ai demandé.

— Je remplace quelqu'un avant mon *shift*. Besoin d'argent, tu comprends ? As-tu d'autres bonbons ?

J'étais pas sûr de comprendre, alors j'ai dit :

— Euh, en fait, je cherche le dépanneur de Divine...

— Divine ? T'es client ?

Il m'a gêné et je savais pas trop quoi répondre, alors j'ai ajouté : « Alors ? », en tirant Audrey devant lui pour qu'elle écoute le détail du chemin pour la raison de faiblesse de rétention des consignes que tu connais. Sur le trottoir, Audrey m'a regardé de travers :

— Pourquoi tu me disais pas que t'es *dealer* ?

— Chu pas *dealer*.

— C'est pas ce que le gars a raconté.

— Tu te souviens de son explication au moins ?

— T'aurais pu me dire que tu cherchais Divine, a conclu Audrey, tout le monde la connaît dans le quartier. Après ce qu'elle a fait. Suis-moi.

J'allais de surprise en surprise, même si j'osais pas demander de détails sur ce que Divine avait bien pu faire de particulier, autre que ce qu'on sait déjà. Mais on a pas marché deux rues qu'Audrey s'est mise à chialer qu'elle avait une crampe et qu'elle était épuisée et qu'elle pouvait plus faire un pas en ayant pas eu sa dose depuis trop longtemps. Il a fallu que je la prenne sur mon dos comme le chevalier Benj l'a souvent fait avec la belle Ilsole du jeu virtuel de mon ancienne vie, pour l'épargner du danger et nous sauver plus vite, sauf qu'Audrey était pas mal plus lourde qu'une plume, et moins chevaleresque, et qu'en Benjamin de tous les jours, je me fatiguais plus vite. Audrey me dirigeait tout de même quand je lui pinçais une fesse pour lui rappeler et c'était heureusement pas trop loin. J'ai reconnu la porte vitrée, qui avait toujours une fille écourtichée, plantée à côté, on dirait. Sauf que Divine y était pas.

Pendant que je soufflais comme un centaure de ma randonnée avec un poids lourd, le temps devait être passé pour mon rendez-vous d'ordinateur chez Pops, que je savais de toute façon plus du tout où c'était. C'est à ce moment qu'Allié-Gris est venu se frotter contre ma jambe.

— Ben toi, dis donc, tu fais le tour des dépanneurs, je me suis exclamé en commençant à comprendre sa routine.

En gros, si je voulais aller quelque part, je pouvais le suivre, mais il changerait pas sa trajectoire pour mes petits caprices de direction. Encore une leçon du jeu à mettre dans ma pipe imaginaire. Et oublions pas que mon bâton de pèlerin avait récemment arrêté de me guider, ce qui fait que je savais vraiment plus où aller. Justement, Audrey était en train de le trouver beau :

— Me le donnes-tu ?

— Pas question.

— Y te sert à rien.

— Qu'est-ce que t'en sais ?

— On pourrait le vendre pis s'acheter à bouffer.

— Ouais, je vois très bien quelle sorte de bouffe tu t'achèterais.

Et elle s'est remise à se lamenter que je comprenais rien, et que j'étais un insensible, et que je savais pas ce que c'était, et qu'elle avait mal, et que c'était horrible, et que j'avais pas de cœur, et ainsi de suite. J'avais pas tellement envie de poursuivre la conversation, surtout que je venais de porter l'ingrate sur mon dos, si tu te rappelles, et que c'était tout de même pas ma faute si Divine travaillait pas ce jour-là, alors j'ai pris mon bâton pour la planter là en suivant Allié-Gris qui venait de reprendre son parcours.

— Hé, tu t'en vas où comme ça? a dit Audrey en me rattrapant.

— Chez Pops.

— C'est pas par là.

— Quoi? Tu sais où c'est?

— Ben oui, innocent.

J'étais pris entre le chat et elle, sachant vraiment plus de quel côté me tourner. Il y a souvent des décisions de ce genre qui t'attendent par surprise dans les jeux virtuels pour exercer ton jugement réflexe avec le flair de la situation. Et c'est comme ça que tu apprends si tu peux t'y fier, au risque de te faire massacrer.

C'est justement ce qui se dessinait à l'horizon avec les deux orcs de la nuit dernière, qui venaient de réapparaître au bout de la ruelle en attrapant Allié-Gris par la queue et en le faisant tournoyer dans les airs comme pour le lancer du chat, qui est pas encore une discipline olympique, à ce que je sache. Le pauvre miaulait toutes griffes dehors, mais en accrochant rien au passage, jusqu'à ce qu'il soit propulsé dans une cour voisine et qu'il s'agglutine au montant d'un balcon en sifflant de haine. J'ai couru à son secours pour le rassurer et me rassurer par le fait même qu'il était pas blessé, mais il était tellement à fleur de peau que les poils lui retroussaient sur le dos et qu'il me grimaçait de me tenir à distance.

— Hé, c'est pas le p'tit comique de cette nuit ? a dit le plus poilu des deux.

— Ouais, j'le reconnais. On l'envoye-tu en enfer ?

Ah bon. Je croyais qu'on y était déjà... Une chose est sûre, j'avais pas du tout envie d'aller vérifier celui des orcs dans leur genre. Heureusement que j'avais conservé mon bâton de pèlerin des griffes d'Audrey la droguée parce qu'il s'est remis tout à coup en effervescence pour frapper presque sans effort les tibias de celui qui s'approchait et presque sans douleur pour les cloches d'eau de ma paume de main. L'orc a poussé un cri affreux en se courbant et en disant à l'autre : « Tue-le ! » Et là, j'ai su que ce serait pas de la tarte parce qu'il s'avançait justement avec un couteau très menaçant à la main et un air de destructeur à faire peur à l'univers entier. Sans bouclier à ma rescousse, j'étais plutôt mal en point. J'ai reculé d'un pas et je me suis tout de suite heurté à la rampe du balcon, ce qui signait pratiquement mon arrêt de vie. J'ai imploré le ciel, Dieu, Ideu, le Diable, Divine, Philo, n'importe qui, de me sauver de cette mort atroce que je préférais mille fois me donner moi-même sans trop me violenter, mais je me suis complètement trompé d'interpellation parce qu'Allié-Gris, qui était toujours scotché à son poteau de galerie, lui a sauté en pleine face pendant qu'Audrey, qui venait subitement d'oublier ses malheurs de sous-alimentée, arrivait par derrière pour lui baisser d'un trait le pantalon. Le pauvre orc hurlait en essayant à la fois d'arracher le chat de son visage et le pantalon de ses chevilles, ce qui l'a fait rouler dans la poussière. Dans son empressement à se tirer de nos pattes, l'orc s'est débarrassé de son jean trop grand de toute manière pour rattraper son compère qui boitait déjà vers la fuite. Je me suis coulé sur mes talons pour reprendre mes esprits tout éparpillés dans la mauvaise herbe parce que je sais pas si tu te rends compte que je l'avais échappé belle. Il y a eu quelques minutes de silence, je crois, avant que je me rende compte qu'une boule grise me ronronnait dans les oreilles en me léchant la joue. J'étais encore tout abasourdi de notre rencontre de malotrus quand j'ai constaté qu'Audrey vidait frénétiquement les poches du pantalon, à la recherche de tu sais quoi. Mais il y avait rien et elle s'est emportée en secouant le froc. C'est à ce moment qu'un petit sac est tombé d'une doublure de poche sur l'asphalte et qu'elle l'a ramassé très vite en disparaissant vers le dépanneur. J'avais même pas eu le temps de la remercier de ses services très spécialisés, mais t'en fais pas : elle est revenue en reniflant et en se jetant dans mes bras. J'ai attendu un peu en disant :

— Qu'est-ce qui te rend si triste ? Tu l'as eue, ta dose.

— Ben non, elle a fait en se mouchant sur mon épaule. En allant emprunter une seringue au gars du dépanneur, je me suis vue dans la télé de surveillance derrière le comptoir et, tu me croiras pas, y avait une face de cadavre livide avec mes yeux dedans. Je lui ai vendu la poudre.

Elle avait l'air consternée de cette victoire :

— Et maintenant, je vais aller vraiment très mal, en se penchant pour vomir.

Je me demandais si le spectre télévisuel d'Audrey était un autre tour de mon fantôme préféré ou si elle avait simplement eu une vision d'ex-droguée, mais j'ai pas pu le vérifier parce qu'imagine-toi qu'une sorte de nuit en plein soleil est passée sur le trottoir. J'ai crié : « Divine ! » Elle s'est figée sur place pendant qu'Allié-Gris se mettait dans ses pattes pour l'enfarger en miaulant le désespoir. Elle s'est penchée sur le chat avec des mots doux du genre :

— Allo, mon petit Gris-Gris d'amour.

Je suis sorti de l'ombre de la ruelle.

— Tu le connais ? j'ai fait, un peu jaloux des finesses de mon allié pour une autre.

— Benjamin ! Ça va ? Je pensais justement à toi.

Je savais vraiment pas quoi répondre à quelqu'un qui pensait justement à moi, surtout si c'était elle, avec sa peau d'ébène et ses dents irradiantes qui me rappelaient un autre sourire.

— Je t'amène une urgence, j'ai fait diversion en avalant ma salive.

Audrey était tout piteusement assise dans son vomi et nous regardait comme un chien abattu.

— T'essayes d'arrêter ? a tout de suite compris Divine. Es-tu capable de marcher ?

L'autre a fait non et nous lui avons empoigné chacun un bras sur l'épaule pour l'emmener jusque dans une clinique supervisée, comme tu sais que le ministre de la Santé canadienne devait nous en payer au moins une. Et heureusement qu'on est dans un roman qu'on peut romancer en attendant la réalité. Mais voilà. Ils ont gardé Audrey dans une salle de repos pour lui expliquer les choses du sevrage, puis ils l'ont relâchée dans la nature. Avant de partir, je lui ai pris la main pour la caresser un peu de son aide précieuse de pantalon et elle m'a dit que c'était plutôt à elle de remercier et de s'excuser encore pour son imbécillité sexuelle précédente et que j'avais été chic de pas la laisser tomber. Je sais pas pourquoi l'éclair de Dieu m'a traversé l'esprit et ça m'a donné des mots pour expliquer de pas confondre l'imbécillité avec la nécessité si elle voulait se pardonner. C'était nouveau ce goût de Dieu dans ma bouche et j'espère que je suis pas en train de devenir catholique. Ça m'a fait penser à la désolation d'avoir manqué mon rendez-vous de 17 h avec le Web de Pops, parce que j'aurais eu plusieurs questions à clavarder. Et j'ai retrouvé Divine comme un soleil noir sur le trottoir.

J'étais un peu intimidé de me retrouver seul avec elle pendant qu'on marchait en silence. Je gardais les yeux rivés au trottoir, mais je sentais les effluves de son corps à mes côtés et ça me troublait. Je pensais que j'arriverais plus jamais à relever la tête ni à adresser la parole à quiconque.

— Comment vont tes fesses ? m'a lancé tout à coup Divine.

— Mes fesses ?

— Moi, depuis la clôture de fer, j'ai un de ces bleus en plein milieu.

— J'ai vraiment pas eu l'occasion de rencontrer un miroir. En plus que je pense rarement à regarder derrière.

— Tu te regardes jamais les fesses ? elle a continué, taquine. Tu devrais, elles sont pas mal.

J'ai rougi. Jamais une fille m'avait dit une chose pareille.

— Les tiennes non plus, j'ai prononcé, de plus en plus mal à l'aise. Mais je préfère les jambes.

— Vraiment ?

Je me taisais, certain que mes tempes allaient exploser si cette conversation continuait.

— Viens-tu prendre une bière ? a proposé Divine. Y a une terrasse pas loin.

— C'est que... j'ai pas d'argent.

— Pis t'as pas l'âge.

— T'as dix-huit ans, toi ? je me suis défendu.

— Non, trois cent cinquante.

Elle s'est embrumée, le film du passé plein les yeux.

— Ben, à nous deux, ça fait largement l'âge de la retraite, j'ai conclu.

Divine a ri. Le soleil a relui.

— Viens, elle a dit en me prenant le bras, y a une terrasse, chez mon père.

— Ouch ! j'ai fait malgré moi à son contact.

— Qu'est-ce que t'as ? elle a dit en voyant les cloques sous mon avant-bras.

De ma main raidie d'ampoules éclatées dans la récente bataille, j'ai repassé avec précaution le bras de cette déesse incandescente sous le mien.

Je fais de la rétention d'eau contre les astres brûlants. Aie pas peur, c'est pas contagieux.

Le bras de Divine, étonnamment chaud et frais contre ma peau boursouflée, me mettait dans tous mes états pendant qu'elle m'entraînait à gauche et à droite.

— Comment tu t'y retrouves jusque chez toi ? j'ai demandé, frappé par son assurance.

— Je retrouverais cette maison-là les yeux fermés.

— Pourquoi ?

Divine a hésité :

— ... Parce qu'elle a un jour fait la différence pour moi entre la vie et la mort.

Je saisissais pas.

— Faudrait que tu me montres tes trucs d'yeux fermés. Moi, je me perds sur un dix cennes, les yeux grands ouverts. Surtout dans les coins que je connais pas.

Divine m'a fait pivoter, m'a rattrapé le bras et nous a ramenés au point de départ.

— Faut te donner des repères, Benjamin, avoir un GPS mental qui te précède, sinon le monde te mord et t'avale. Tu comprends ?

— Oui.

Au cas où tu le saurais pas, un GPS, c'est un système de géolocalisation par satellite très utile pour les dyslexiques en géographie des lieux de ma sorte, quand on peut s'en payer un.

— Alors, maintenant, regarde à ta gauche. Qu'est-ce que tu vois ? a continué Divine.

J'ai serré sans y penser la main qui tenait mon épée d'apprenti chevalier d'enfance. Un truc d'orthopédagogue pour m'aider à distinguer ma droite de ma gauche.

— Ton dépanneur.

— Il est pas à moi, mais c'est bien celui où je travaille.

— Comment tu l'as reconnu ?

— La minceur de la porte.

— Ben, voilà. T'as déjà un repère. Il faut regarder, Benjamin, poser un regard original, unique, sur les choses. Le chemin nous fait pas de cadeau.

On a refait tout le trajet jusque chez elle.

— Et la rue, comment tu vas te rappeler ?

— Le nom est écrit.

— Le même nom est écrit à chaque coin. C'est pas assez.

— Y a un fil électrique qui la traverse avec une paire de bottines noires suspendue.

— Oui, ça c'est bon. Ce sont les miennes, d'ailleurs. Regarde-moi pas comme ça, c'est symbolique. Une façon de marquer mon territoire, de dire aux intrus que j'existe, que c'est sérieux.

Je suis resté songeur devant le spectacle de ces bottines à hauts talons se balançant dans le vide. L'image de Divine juchée dessus me faisait mal.

— Et pour retrouver la bonne maison ? elle me talonnait.

— La porte est rouge.

— T'apprends vite.

J'étais surpris qu'elle dise ça parce que j'ai pas l'habitude d'être intelligent.

— Tu trouves ?

Elle m'a regardé dans les yeux. Longtemps.

— Oui, je trouve, Benjamin.

J'ai avalé.

— Mes amis m'appellent Benj.

C'est là que ça s'est mis à déraper.

— Benj ? Comme le chevalier Benj Aminn de *War of Worldcraft* ? elle a écarquillé les yeux.

— Euh, oui. Tu le connais ?

— Si je le connais ! On a joué ensemble sur le Net pendant un an. Un vrai preux. Un grand chevalier.

J'ai baissé la tête, gêné de ce compliment. Divine m'a pris le menton. Je te jure, elle était rouge comme sa porte.

— Salaud !

— Quoi ?

— Tu m'as baisée pas à peu près avec ton suicide en direct par les quarante orcs. Pourquoi t'as fait ça ?

J'ai rebaissé la tête, piteux :

— Je... voulais mourir...

— Tu voulais mourir ! La belle affaire ! Ben, t'étais pas obligé de faire payer tous les autres autour de toi, espèce de sale dégonflé. Tu m'as consultée peut-être ?

Je savais plus où me mettre. En moi, ça se révoltait et se désolait à la fois. Je voulais lui expliquer, me justifier, dire le désespoir, m'excuser, reprendre mon geste, l'avoir jamais posé. Je pouvais juste rester là, barricadé, une flèche fichée en plein cœur. C'est vrai. Quand j'ai suicidé Benj, pas une seconde j'avais pensé aux autres sur le jeu. Et ils avaient payé la rançon de ma décision. Ce qu'on se fait à soi, on le fait donc aussi aux autres ?

— Puisque nous sommes une seule humanité, a dit DieuWeb. Tout à coup, un éclair m'a frappé.

— Ilsole. C'est toi. La guerrière Ilsole. Ma guérisseuse. Ma compagne de jeu. Fière, patiente, avisée, téméraire et courageuse...

— Évidemment, idiot, elle a fait, déjà moins fâchée. J'ai vrillé mes yeux à ceux de tempête de cet astre virtuel qui a illuminé mes fantasmes pendant un an.

— Je suis là. En vrai, j'ai murmuré.

Le regard de feu s'est soudainement empli d'eau. Je sais pas comment ma bouche s'est soudée à celle de la divine guerrière Soleil-Ilsole, mais je sais que je me suis consumé. J'étais sûr que c'était la fin. Et pourtant, je mourais pas. La douleur, les combats, les échecs, les blessures, la violence, la mort. Tout s'arrêtait. Prenait sa place en moi. C'était la fin. Mais rien était perdu. Car c'était aussi un début : Benj et Ilsole étaient réunis.

— Wow ! Le show en direct ! Tu m'as jamais dit que t'embrassais, la Divine.

Jack L'Éventreur, tout fier de son effet.

— Dégage, imbécile, a sifflé Divine.

— Ouais, tu perds pas de temps, le nouveau. Ça fait pas deux nuits que t'es dans le paysage que t'as déjà séduit la « Déesse de la rue ». T'a payes combien pour qu'à t'embrasse sur la bouche ?

Mon poing. Jack s'est retrouvé par terre, une main sur sa joue meurtrie.

— Un jour, Jack, ton *jackknife* va sortir tout seul de ton *jackboot* pis y va te trancher ta maudite langue, a menacé Divine.

L'Éventreur a blêmi d'un coup, son mohawk dressé plus que jamais sur sa tête. Qui était-elle donc pour provoquer une telle frousse chez ce troll truand ?

— Viens-t'en, a fait Divine en me poussant dans l'escalier, c'te girouette-là, j'peux pas la voir en peinture.

La porte rouge a claqué sur un Jack vitrifié.

Dans le noir frais du couloir :

— Ton père est pas là ?

— Le jour, il dort, la nuit, il travaille.

— Il est infirmier ?

— Si on veut.

— On va pas le réveiller ?

— Il est pas là.

— Il est où ?

— C'est une enquête ?

— Excuse-moi, j'ai fait, piteux de ce mystère qui restait entier.

Divine a ouvert le frigo :

— Ferme un peu ton micro pendant que je nous sers pis enregistre ta nouvelle carte mentale du quartier dans ton GPS interne, elle m'a martelé la tempe du doigt. Avec les fréquentations que t'as, ça se peut qu'un jour, tu sois content de savoir où je reste.

J'étais sidéré par ces paroles. Les questions se bousculaient dans ma tête. Sans trouver de porte de sortie.

— Mais j'ai pas de micro ni de GPS, j'ai tenté, en montrant mes mains vides.

— Fais pas l'épais, Benj.

Je l'ai fixée, la bouche ouverte.

— Quoi ? elle a demandé.

— T'as dit Benj...

— T'es chanceux que je sois pas rancunière, elle m'a averti en claquant la porte du frigo d'un revers de pied. Mais refais pu jamais ça...

Elle avait l'air mauvais en se penchant sur moi, mais ses seins étaient trop généreux dans son décolleté pour que je la prenne au sérieux. Flatté d'avoir recouvré les grâces de ma guérisseuse désirée, j'ai fermé docilement les yeux pour faire semblant de suivre ses directives d'en-registrement, mais je les ai entrouverts traîtreusement pour rien rater de la grâce mouvante de cette déesse incarnée sous mes yeux contre tout espoir.

T'es pas obligé de savoir que j'ai pas passé la deuxième nuit au complet en ombre de la rue, mais plutôt en ombre de la chambre de Divine Soleil-Ilsole, mon bâton de pèlerin sagement appuyé contre le cadre de porte. Sauf que c'est utile pour l'histoire. En fait, je serais même resté si elle m'avait pas mis dehors en plein milieu.

— T'as des choses à faire, qu'elle m'a dit en me tendant mon bâton.

Je me demandais bien quoi, moi que le goût de la mort habitait et qui découvrais dans un corps à corps nouveau genre un revers insoupçonné de la vie. Je fixais bêtement mon bâton entre mes deux mains, plutôt dépassé de me faire congédier ainsi en pleine reddition.

— J'ai fait quelque chose de pas correct ?

— Non, justement.

Dans le corridor, j'ai vu un filet de lumière sortant d'une autre pièce et une vague silhouette aux cheveux clairsemés, de dos, devant un ordinateur. Divine m'a fait « Chut ! » avant de passer devant la porte entrouverte, et ce qui devait être un homme ne s'est pas retourné. Au dernier moment, j'ai quand même voulu dire bonsoir par curiosité, mais Ilsole s'est jetée sur ma bouche en m'écrasant le pied, ses seins dressés contre mes pectoraux qui étaient pas de taille.

— C'est lui ? j'ai dit une fois dehors.

— Lui qui ?

— Ben, ton père. On peut pas lui parler ?

— Il travaille.

— Ah bon...

J'ai rien pu ajouter parce j'avais ses lèvres chaudes sur les miennes, qui m'ont fait fondre avec plein de chocs électriques intérieurs, et qu'il y avait bien mieux à faire dans ce cas que parler.

— Sois prudent, chevalier, elle a prononcé en reculant.

J'espère que tu remarques que c'était la deuxième fois en deux jours que quelqu'un de divin me prévoyait du danger. Parce que le jeu allait pas tarder à le révéler. J'ai cherché les yeux ardents de ma divine dans la nuit et je te jure qu'ils ont dit : « Reviens, surtout », pendant que sa bouche moelleuse restait entrouverte et que ses mains expertes nouaient à mon cou l'écharpe mauve que j'avais déjà remarquée à sa ceinture.

— Ça pourra servir, elle a ajouté, pendant qu'Allié-Gris, qui avait le don d'apparaître, se frottait contre nous.

Divine s'est penchée en lui murmurant à l'oreille des conseils de sorcière qu'il est interdit de répéter, même en langue de chat. Et jamais j'aurais cru qu'un simple foulard se transformerait tout à l'heure en bouclier, car comme tu te doutes bien, il va y avoir de la bagarre.

Mon bâton de pèlerin qui s'était suffisamment reposé se montrait tout fringant et soudainement impérieux de m'emmener quelque part, ce avec quoi j'étais bien d'accord si je voulais en finir avec cette aventure et retrouver mes délices de déesse. Mais le traître me guidait en fait vers le lieu du désastre, qui attendait plus que moi. La rue était tiède et étonnamment tranquille, avec seulement une rumeur habituelle de ville, mais qui retient son souffle, et j'ai pensé que c'était justement l'heure où les voyous se changent en loups-garous. Sauf un, que j'ai reconnu de dos sous le lampadaire, à cause de la minceur caractéristique et de l'épaisseur des cheveux châtains retenus par un bandeau de ninja.

« Philo ! » j'ai crié, tout content d'avoir mon meilleur allié sur place. Mais c'était pas la chose à faire de manquer de retenue de spontanéité quand on est censé calculer le danger d'un lieu inconnu sans se faire remarquer, parce que tout a commencé à s'enchaîner.

Les deux orcs à poudre sont sortis de la ruelle, dont l'un avec de très mauvais souvenirs de béquilles et l'autre avec un pansement sur un œil, mais ils avaient cette fois prévu du renfort avec le faux père de Raph et ses sbires multipliés par quatre armoires à glace, qui tenaient mon frère d'arme en appât grâce à mes trois orcs scolaires habituels, qui le connaissaient et qui s'étaient mis de la partie de leurs frères aînés, pendant que Jack L'Éventreur lui faisait la conversation en jouant nerveusement avec son couteau. Philémon s'est tourné vers moi et j'ai vu ses petites lunettes rondes briller au moment où il les remontait lentement sur son nez, ce qui a toujours été notre signal pour dire qu'il était prêt. J'ai fait le décompte mental de nos forces, qui étaient plutôt ridicules, vu la circonstance, et qui se résumaient à un bâton, un ami et un chat.

— Maudit boutte de l'enfer, j'ai dit en blague à Allié-Gris, prépare tes griffes, mon vieux, y va y avoir du sport.

Mais j'étais terrorisé.

Raph s'est remise à respirer sur mon épaule :

— Je t'avais prévenu que ce serait pas de la tarte.

— Ah oui ? Quand ça ?, parce que, tout de même, j'ai une bonne mémoire, il me semble.

— Je sais pas comment tu vas t'en sortir, a ajouté la traîtresse.

— Moi non plus, j'ai fait en avalant la capsule de joie qui traînait dans ma poche et qui trouvait enfin son utilité cachée, sentant que je devais réunir tous les stupéfiants possibles à mon secours dans une situation aussi hallucinante.

Les jeux interactifs sur le Net, c'est plutôt reposant, à comparer, si tu veux mon avis. Mais j'avais pas le temps d'allumer mon joint de calmant, parce que, de toute façon, mes mains tremblaient trop. Le fait est qu'ils étaient tous rassemblés pour moi et que je pouvais pas laisser Philémon entre leurs vilaines griffes de guet-apens. Tant pis, puisque, de toute façon, je voulais mourir, si tu te rappelles, et que j'avais qu'à me décider avant pour choisir tranquillement l'atrocité de ma mort. Sauf que cette fois, j'avais la récente colère divine comme compagnie et il était pas question de faire payer quoi que ce soit à Philo, qui était déjà suffisamment impliqué malgré lui dans mes déboires. Il serait toujours temps de mourir plus tard, je me suis dit, une fois que je nous aurais sortis de là. C'est à ce moment que le véritable preux Benj Aminn, en moi, a pris le relais, et que ma fidèle et intrépide Ilsole m'a cruellement manqué de ses si foudroyantes leçons, pour refaire, avec Philo, notre trio vainqueur qui nous avait menés au record du niveau 80 de *War of Worldcraft*. Depuis le temps que je me bricolais une guerre, j'ai réfléchi dans la flaque à mes pieds, j'avais enfin Machiavel sous le nez. Et son reflet avait rien de rassurant. Pourtant, je sais pas pourquoi, cette réflexion m'a subitement fait éclater d'un rire machiavélique, pour rester dans le sujet, malgré le dramatique de la situation ; mes épaules se soulevaient contre moi en me tapant les mains sur la cuisse, mes abdominaux se contractaient au point d'avoir un point sur le côté et mon hilarité incontrôlée retentissait partout, ce qui a pris très au dépourvu mes assaillants, je crois – tout autant que moi, d'ailleurs –, et les a sidérés sur place. Raph a saisi le stratagème au vol et s'est mise à me chatouiller de plus belle alors que je commençais justement à me calmer et eux, à avancer, et je nous ai roulés par terre dans le sens contraire en échappant mon bâton de pèlerin et en essayant de hoqueter :

« Arrête... maudit... boutte... de l'enfer... », parce que j'étais pas certain de m'amuser, finalement. Et même Allié-Gris riait dans ses poils de moustache en se léchant les babines.

Il y a beaucoup de flou dans la suite des événements, mais il paraît que Philémon a profité des bras ballants des autres pour me remettre sur mes pieds en un clin d'œil et que je bavais convulsivement en courant avec lui, comme dans une partie de plaisir obligatoire, qui avait rien de drôle, mais qui aidait sans doute à alléger le danger. Après, je sais plus que des grandes lignes.

Voilà pourquoi il va falloir que tu m'aides à combler les trous de la bagarre. Parce qu'une aventure pareille est tellement surréaliste que le temps de trouver les mots, l'affaire est déjà classée. Surtout sous l'effet d'une drogue. Alors, récapitulons.

Tout à coup, j'ai senti qu'on me soulevait de terre par le dessous des bras et qu'on me remettait sur mes pieds en criant: « Cours, Benj ! » Et c'était Philo. Tels que je nous connais tous les deux, je l'ai sûrement serré par le cou en courant, tout content de le revoir de si près, et il m'a sûrement repoussé que c'était pas le moment et que j'étais le plus grand des super imbéciles qu'il avait jamais eu pour ami de son vivant – qui était pas, il faut dire, très vieux –, mais qu'il se demandait pourquoi il risquait quand même sa vie pour moi. Dans notre dos, il paraît qu'une série de sbires étaient à nos trousses et que, dans une encoignure de mur, une ombre tapie nous a dit: « Par ici ! » avec une voix que j'aurais reconnue entre mille si j'avais pas été sous complète influence à ce moment.

Philo et moi l'avons suivie sans poser de questions parce que les autres nous rattrapaient sérieusement et que, de toute façon, nous avions plus rien d'autre à perdre que la vie. La voix a dit à Philo : « Reste pas avec lui, il vaut mieux vous séparer », et elle avait entièrement raison qu'il servait à rien qu'on nous massacre tous les deux ensemble, d'autant plus que je courais pas très vite avec mes soubresauts et que je commençais même à être épuisé. Et elle lui a tiré le bras de force dans le trou noir de la ruelle pendant qu'il objectait : « Non ! » et que je me retrouvais seul et haletant devant un mur sans issue. Je me rappelle l'avoir tâté bizarrement de haut en bas et qu'il était froid et humide et raboteux comme une peau de crocodile, ce qui m'a fait glousser de rire. En me retournant, j'ai eu les yeux en face des trous de nez du faux père de Raph, qui soufflait comme un bœuf et qui avait le bras levé sur la machette, mais qui l'a laissé en suspens pendant je sais pas combien de temps en fixant l'écharpe mauve à mon cou, comme je t'avais prévenu qu'elle ferait merveilleusement son travail de bouclier. J'aurais dû me douter alors que mon petit étendard de coton fané lui rappelait quelqu'une qu'il avait lui-même contribué à tirer vers l'enfer. La suite, tu peux pas l'imaginer, parce que le mur s'est soudainement allumé dans mon dos et que Raph y est apparue en plan géant, la tête légèrement inclinée et souriant timidement à la caméra. Alors, le malfrat a échappé un cri et a porté ses mains à ses yeux comme s'ils étaient un buisson ardent. J'ai donc amplement eu le temps de lui enfoncer un coup bien senti dans le moelleux du ventre, ce qui l'a pris par surprise en le faisant s'effondrer lourdement sur les genoux. Il restait là, les mains toujours sur les yeux en gémissant. J'ai regardé mon poing, tout étonné de son effet, sans me rendre compte que le fouet de la réalité l'avait frappé bien plus fort que moi.

C'est alors que le danger s'est succédé avec la lame du couteau de Jack dans le noir, son regard de défunt dans le reflet, qui en menait pas large.

— Tu vas pas tuer un drogué comme moi, j'ai vaguement ricané, en réussissant pas à prendre cet éventreur au sérieux. Baisse ton couteau, y m'reste un joint, si tu veux l'allumer, ou quelque chose du genre, j'ai ajouté en tâtant mes poches.

— Désolé, vieux, a hésité le couteau brandi, j'ai rien contre toé, mais j'ai pas le choix, sinon y vont me balancer au bout d'une corde. Ou quelque chose de semblable.

Nous étions donc dans une impasse qui allait manifestement mal finir, quand mon bâton égaré s'est manifestement retrouvé dans ma main à l'instant où Jack amorçait finalement le geste contraire de remettre son arme dans sa botte et que je lui accrochais maladroitement le bras au passage.

Je te jure que je sais pas ce qui s'est réellement passé à ce moment. Et comme toi non plus, eh bien, il reste plus qu'à l'imaginer. La seule chose que je peux te dire, c'est que j'ai vu les yeux de Jack s'agrandir démesurément pendant que Raph, sur l'écran derrière moi, faisait un clin d'œil avant de s'évaporer. Son faux père avait l'air de vouloir s'incruster sur les genoux, la tête dans les mains, comme s'il venait de contempler l'infamie de sa vie. Je l'ai lentement contourné en faisant jouer de bravade l'écharpe mauve à mon cou, mais une main dans mon dos m'a poussé de pas insister pour déguerpir de cet entourage infernal.

J'ai marché dans n'importe quelle direction, comme à mon habitude ; le reste du danger des orcs scolaires et autres avait l'air de s'être volatilisé tellement je croisais plus personne et j'ai retrouvé Philémon tout à fait par hasard au coin d'une rue, penché sur quelqu'un d'étendu par terre, dont je reconnaissais très bien le panier d'épicerie malgré mes facultés affaiblies.

— Solange ! Qu'est-ce qui t'arrive ? j'ai crié, pendant que Philo vidait le panier et me disait :

— Aide-moi à la mettre dedans.

On l'a roulée comme ça, enfin, surtout Philo, parce que, moi, je pouvais à peine m'accrocher à mon bâton rieur, pendant qu'elle répétait de l'emmener à l'église, que Dieu la réclamait et qu'elle demandait pas mieux. Comme il y avait pas une trace d'église dans ce coin profane, Philo s'est arrêté devant un hôpital CHLSD, qui était ce que nous avions de mieux sous la main dans la circonstance, et nous l'avons conduite d'urgence à l'intérieur en hurlant : « C'est une urgence ! »

Mais les habits blancs nous regardaient sans bouger de leur poste.

— Vous vous trompez, les gars, a dit quelqu'un, on est pas à l'urgence, ici, c'est un mouroir et il est fermé pour la nuit.

Mon bâton a trépigné le sol d'impatience pendant que je disais très fermement pour quelqu'un dans mon état :

— Vous allez vous occuper de cette dame qui est justement en train de mourir, sinon...

J'ai regardé Philémon :

— Sinon, on fait sauter la baraque ! il a terminé en tendant la main vers un sac tout fripé du panier.

Ça a marché parce que tout le monde s'est précipité d'un coup sur la pauvre Solange, que je venais de prendre dans mes bras et que j'avais jamais connue aussi violette. Elle s'est laissé déposer dans un lit en continuant de prêcher que l'armée de Dieu était à nos trousses et qu'elle entendait les trompettes du Jugement dernier et qu'elle craignait pas de voir enfin le visage de celui qui la délivrerait des tourments de sa misérable vie de miséreuse, et je suis sorti un peu pendant que les infirmiers faisaient leur travail de dépouillement.

Dans le corridor, Philémon m'a fait signe et je l'ai suivi jusqu'à une porte que j'ai reconnue tout de suite parce qu'elle avait un ange en ouate collé dessus, que j'avais fabriqué quand j'étais petit. Je l'avais mis en protection à Mamie quand elle était arrivée dans cet endroit inconnu et que son regard s'affolait de rien reconnaître de familier. J'en revenais pas de voir que nous avions trouvé précisément le LSD de Mamie pour déposer Solange. Comme j'étais encore réjoui artificiellement, j'ai souri qu'elles pourraient se tenir compagnie toutes les deux, en étant réunies sous le même toit malgré les mondes qui les séparaient. Philo a poussé doucement la porte et Mamie est apparue toute tranquille dans son lit blanc avec des barreaux de prisonnière de chaque côté, ce qui me semblait vraiment superflu, puisqu'elle était déjà suffisamment enfermée d'elle-même. Elle avait l'air de se reposer sagement de ses épreuves, pour une fois, et je voulais surtout pas la réveiller, mais quelque chose m'a appelé dans la chambre. En approchant, j'ai vu que ses yeux étaient grands ouverts et, sans cesser de fixer le vide, elle a levé les bras. Je me suis glissé dedans, comme autrefois, quand elle était encore ma grand-mère Mamie qui nous sauvait la famille de tous les désastres dès que j'appuyais sur le deux du téléphone pour pouvoir appuyer ma tête sur ses seins. Mais cette fois, ce sont ses bras à elle qui demandaient secours et les miens pouvaient opposer à son malheur que des caresses futiles, ce qui m'a tiré des larmes de rage impuissante, les pires de toutes. Elle se taisait comme à son habitude, mais ses yeux disaient plein de choses que je voulais pas entendre. Je me suis donc révolté devant l'insupportable, j'ai tiré un oreiller de sous sa tête et je l'ai levé au-dessus, mais ma gorge s'est nouée et mes yeux se sont brouillés, puis mes mains se sont ouvertes et l'oreiller est tombé à mes pieds.

— Mamie, ma mie à moi, j'ai sangloté en lissant ses cheveux défaits qui sentiraient à jamais pour moi le bonheur, et on aurait juré que, si elle avait pu, elle aurait aussi roulé des larmes invisibles sur les joues tout en tapotant ma main pour lui dire : « Ça va, Benjamin, ça va aller. »

C'est ce moment qu'a choisi Allié-Gris pour sauter sur le lit en ronronnant. J'étais pas du tout étonné de le trouver ici, d'autant plus qu'il s'est confortablement installé au creux de Mamie et que celle-ci a blotti son nez dans sa fourrure clairsemée. J'étais content de pouvoir lui prêter ma protection et nous sommes restés comme ça, tous les trois, pendant que je lui chantonnais sa vieille chanson préférée « *Give peace a chance...* », en changeant parfois « *peace* » pour « *life* », sans m'en rendre compte, jusqu'à ce que ses yeux se ferment et que son souffle léger s'emmêle aux ronrons du chat. Mon bâton de pèlerin s'est avancé pour toucher doucement chacune des vieilles épaules, selon le rituel chevaleresque bien connu, et j'ai prononcé : « Dors dans la paix de Dieu », qui est tout de même une variante. J'ai déposé mes lèvres sur son front en me demandant comme chaque fois si c'était la dernière et j'ai vite rejoint mon fidèle compagnon d'aventure dans le couloir avant de me liquéfier sur place.

— Moi, elle m'a pas laissé approcher, a dit Philo en me regardant droit dans les yeux. Elle arrêtait pas de crier en se prenant la tête, alors ils m'ont demandé de partir.

Comme je soutenais son regard, il a ajouté :

— Les adieux, c'est toujours mieux de les faire soi-même.

Il avait entièrement raison, comme toujours, et j'ai pas pu m'empêcher de le serrer très fort pour sa loyauté à la tâche impossible que je lui avais exigée. Pendant ce moment de silence, un habit blanc s'est avancé vers nous dans le noir et a dit de ses dents blanches :

— J'crois qu'vous devriez v'nir, M'sieur Benjamin.

C'était Suzelle, une infirmière de nuit que j'aimais bien parce qu'elle aimait bien Mamie, et elle m'avait reconnu parce que je la croisais parfois pendant son quart de jour.

J'ai demandé à Philo de m'accompagner, parce que toutes ces alitées d'affilée commençaient à me donner le tournis, et il m'a suivi au chevet de Solange. Sa main était toute raide et froide quand elle m'a agrippé comme une pince en disant : « Mon fils. »

Comme c'était pas moi, j'ai regardé Philémon, qui a hoché la tête, et j'ai fait semblant de répondre un petit « oui maman » pour gagner du temps. Elle a articulé : « Je viens vers toi. »

Mais aucun son est sorti de sa bouche parce qu'elle était expirée et je suppose que son fils aussi, et depuis bien plus longtemps qu'elle. Je reniflais sur ma manche parce que j'aimais bien Solange, malgré son odeur flétrie et ses déchets d'épicerie et ses sermons d'illuminée, et aussi parce je débordais de toutes ces émotions simultanées. J'ai pensé qu'avec tout ça, j'avais pas eu le temps de lui annoncer la nouvelle pour Raph. Mais elle allait pas tarder à la savoir, de toute façon, si Dieu existait vraiment de l'autre côté de sa foi.

Si tu as déjà moyennement consommé, tu sais qu'après le paradis vient l'enfer, en sorte de nuage crevé qui te laisse les os de l'âme rompus sur le plancher de la réalité. Pas étonnant qu'on ait alors qu'une envie, échapper une fois pour toutes à la loi de la pesanteur. Parce que, après tout, s'il y a un endroit d'où on est pas censé revenir, c'est bien du paradis, non ? Même artificiel.

C'est ce qui a commencé à m'arriver sur le parvis du LSD, surtout quand j'ai constaté que tout le monde nous attendait à la sortie, l'air de faire semblant de rien tout en étant sur le qui-vive de la vengeance terminale. Un glas a sonné dans ma tête pendant que se succédaient les images de Raph, Solange et Mamie, et je suis devenu d'un coup totalement dégoûté de la mascarade de la vie, qui nous laisse vraiment aucun répit. Alors, j'ai étendu les bras en croix, enfin prêt au sacrifice, parce qu'il y a tout de même une limite à l'endurance, et j'ai crié comme un fou : « Je viens vers vous ! », pour imiter la formule récente de Solange, tout en marmonnant : « Sauve-toi ! » à Philémon, qui s'est pas fait prier.

Il faut dire qu'il connaît bien ma stratégie consistant à occuper l'ennemi pendant qu'il se repositionne en force pour attaquer par derrière. Sauf que, cette fois, il s'est produit un vice de procédure guerrière. Je sais pas ce qu'ils ont tous dans ce jeu, parce qu'ils ont complètement refigé sur l'écran, comme quand tu fais « pause » pour aller pisser. Divine m'a expliqué plus tard que c'est simplement parce que mes tactiques sont un peu différentes des films d'action habituels et que les voyous sont très superstitieux avec les prémonitions. Surtout que j'en avais deux avec moi sans le savoir aucunement : mon bâton de pèlerin, qui, comme je l'ai appris plus tard, avait appartenu au Diable lui-même avant qu'il se recycle en Dieu ; et mon écharpe mauve, qui avait été l'emblème d'une nymphe aux longues jambes rieuses avant qu'elle devienne un spectre. Le problème, c'est que c'étaient pas du tout des tactiques de ma part, mais on est pas obligés de le savoir.

Il s'est alors mis à flotter quelque chose dans l'air que Mamie, si elle avait assisté à la scène, aurait sûrement nommé « un ange passe », selon son expression, comme dans mon enfance, quand l'angoisse pouvait se noyer dans son giron sans que personne, et surtout moi, en meure. Et elle avait raison qu'il en planait justement un au-dessus de nous en l'esprit de Raph, qui s'apprêtait à nous imprégner définitivement de sa présence défunte avant de se déposer enfin dans la paix des disparus.

Comme aucun protagoniste bougeait le moindre cil, j'ai repris contenance, baissé les bras, descendu lentement les marches, contourné tous les personnages immobiles ; j'ai traversé le trottoir, et la rue, et l'autre trottoir, dans la plus grande paix, comme si nous étions frères – et à cet instant, je te jure que nous l'étions –, jusqu'à l'intersection, sans me presser ni rien, l'action prenant tout son temps pour cause d'épuisement professionnel de retraité progressif de la joie en capsule. Et aussi parce qu'il est bien connu que les moments d'éternité suspendent la durée, tout comme le tranchant des rôles. Ce qui donne à chacun une place entièrement méritée pour n'être plus qu'un seul et simple, tout à la fois bon et méchant, rugueux et lisse, obscur et lumineux – un humain, quoi –, et qui a fait à tous un bien immense d'être enfin réunis de nos différends. C'était très reposant. La phrase fulgurante de DieuWeb que « nous sommes chacun à notre manière la même humanité » m'a retraversé l'esprit, et elle allait plus que jamais de soi dans ce tableau. Mais comme l'état de grâce est volatile et que la finitude nous replonge à tout moment dans l'impermanence, je voulais pas non plus m'attarder trop longtemps. Au cas où.

Au coin de la rue, j'ai ouvert une portière, je me suis effondré sur la banquette arrière et je crois que j'ai dormi pendant deux jours. Quand je me suis réveillé, j'étais pas du tout dans un taxi mais dans un lit, dans une chambre que je connaissais pas.

Je suis resté étendu longtemps, un goût mortel dans la bouche, incapable de bouger tellement le moindre geste m'était pénible, et j'ai essayé de reconstituer les faits. La nuit me revenait par flashes et j'ai pensé tout à coup à Philémon que j'avais planté là en prenant un taxi. Que s'était-il passé après mon départ ? Les orcs avaient-ils retrouvé leur hargne en même temps que leur mobilité et s'étaient-ils rabattus sur mon fidèle allié ? Philo avait-il réussi à leur échapper ? Qu'était devenu le fantôme de Raph, que j'avais lamentablement échoué à racheter au néant ? Et Allié-Gris, l'avais-je vraiment laissé dans les bras de Mamie ? Et Solange était-elle vraiment en allée ? Et avais-je vraiment connu les ardeurs d'une déesse ? Le rêve restait entier.

— T'inquiète, a prononcé une voix un peu métallique dans la chambre. J'ai téléphoné à tes parents pour dire où t'étais, et à Philémon, et aussi à une certaine Mamie. Tout le monde était extrêmement soulagé, sauf Mamie, qui pouvait pas parler, m'a-t-on expliqué, mais qui est étrangement calme depuis qu'un chat l'a adoptée. Ta mère voulait venir et ton père a dit qu'il allait lui parler. Je les ai convaincus d'attendre que tu les appelles.

J'ai tourné la tête vers nulle autre que ma guérisseuse Ilsole en personne, que le suicide interactif de Benj sur le Web avait pourtant massacrée. Je me suis frotté les yeux pour être sûr. Mais après la nuit que je venais de passer, j'avais un peu l'habitude des visions sans m'effrayer.

— Comment t'as fait ça ? j'ai répondu, éberlué qu'elle ait retracé si rapidement tout mon monde sans le connaître aucunement.

— Ton cellulaire, mon cher.

— Et Philo, il allait comment ? j'ai demandé le cœur étranglé.

— Comme on peut aller après une nuit comme celle que tu lui as fait passer.

— Je veux dire, ils lui ont rien fait ?

— En tout cas, a repris Ilsole, espiègle, il avait pas l'air estropié au téléphone, seulement très inquiet. Il savait pas ce que t'étais devenu après s'être précipité dans la ruelle pour faire le tour du pâté de maisons. Quand il a resurgi, t'avais disparu.

Ouf ! J'étais soulagé. J'avais pas tout raté, finalement ; j'avais tenu, bien malgré moi, il faut dire, ma promesse de nous sortir de là vivants.

— Et Divine ?

Sur le coup, la porte s'est ouverte et elle est entrée, absorbée par le plateau qu'elle tenait dans les mains, pendant qu'Ilsole se confondait à son ombre sur le plancher.

— T'es enfin réveillé !

Je savais pas encore que j'avais dormi presque vingt heures d'affilée, ni comment j'étais arrivé chez elle, mais je savais en tout cas que plus jamais j'arriverais à la regarder en face. Elle s'est collée contre moi comme si j'étais pas le dernier des parias. J'ai pas pu m'empêcher de refermer mes bras sur elle, de mettre une dernière fois mon nez dans son cou sublime et de respirer son odeur poivrée. Mais j'étais empesé comme une chemise.

— Je... je suis désolé... , je me suis effondré.

— Désolé pourquoi, Benj ? Tu t'en es sorti comme un grand chevalier.

Je comprenais rien.

— Tu... tu m'as dit que j'avais quelque chose à faire quand tu m'as mis à la porte de chez toi, et je... je voulais ressusciter Raph en réussissant le jeu, mais rien s'est passé comme d'habitude et j'ai même déguerpi pour finir, en abandonnant Philo qui aurait pu se faire massacrer sur-le-champ.

— Benj, je crois qu'il va falloir que je te raconte ce qui s'est réellement passé.

Ça m'a pris plusieurs minutes à enregistrer cette divine phrase. J'ai fini par dire :

— Quoi, t'étais là ?

— Ta chère Divine-Ilsole aurait manqué cette mémorable aventure pour rien au monde. Tu croyais vraiment que j'allais rester sur la galerie à t'attendre ?

J'ai bafouillé. Et les morceaux du casse-tête ont commencé à se mettre en place. Devine qui c'était, la voix dans le noir ? Et qui a tiré Philémon par le bras pour nous forcer à nous séparer ? Et qui m'a dirigé vers le mur à peau de crocodile ? Et qui a fait visionner de plein fouet au faux père de Raph le film de sa belle-fille, comme promis un jour ? Et qui m'a mis mon bâton de pèlerin dans la main devant Jack ? Et imagine-toi qu'en la voyant apparaître à mes côtés au moment où mon arme le heurtait maladroitement, Jack a retourné son couteau contre la propre langue du truand, tel qu'il lui avait été prédit, au lieu de l'enfoncer dans sa botte, mais une main l'a retenu avant qu'il la tranche au complet. Il en a perdu qu'un petit bout dans le caniveau, finalement. Juste ce qu'il faut pour garder un souvenir indélébile de la puissance et de la miséricorde divines.

— Mais la dernière scène, a continué Divine-Ilsole, tu l'as jouée comme un maître. On a tous été pris par surprise. C'était génial, Benj. J'y aurais jamais pensé.

— Qu... quoi ?... j'ai renchéri, passablement dérouté d'avoir tout à coup réussi là où je croyais avoir échoué.

— Benj, j'ai jamais ressenti quelque chose comme ça. Je te jure. On était tous là, prêts à s'entretuer, et soudain t'as ouvert les bras et y a plus eu d'ennemis, ni de guerre, ni de menace, plus d'hostilité, de vengeance, ni de haine, seulement des êtres humains, inégaux et entiers dans leur imperfection, leurs manques, leurs désirs et leur vulnérabilité, des êtres complets, accomplis, pour une fois, qui pouvaient rester l'un à côté de l'autre, avec leurs misères et leurs grandeurs partagées. Comme si, à ce moment, on pouvait réellement être des frères.

Eh ben, ça... Tu te rends compte ? Il paraît qu'ils sont restés longtemps silencieux après mon départ. Tous sont rentrés tranquillement chez eux, en ayant congé de violence jusqu'au lendemain. Jamais j'aurais cru que la fin pouvait être différente des aventures où les bons sont toujours victorieux, et les méchants, défaits, ou l'inverse, et que les rôles pouvaient s'interpénétrer, ce qui est pas mal moins glorieux, mais finalement plus réaliste, chacun récoltant enfin son dû. Je commençais à comprendre l'énigme de DieuWeb, qu'il pouvait cesser d'y avoir des gagnants et des perdants, et que tous devaient désormais à la fois gagner et perdre si on voulait changer l'ordre de ce monde déclinant.

Je suis resté un peu dans la chambre d'invité de Divine avant de ramasser la force de rentrer chez ma mère endolorie, qui frémit maintenant chaque fois que j'ouvre la porte et dont les yeux invisibles me transpercent le dos jusque sur le trottoir de mes rendez-vous avec la vie, et ensuite chez mon père raviné, qui fait semblant d'avoir le dessus des bouteilles, et de nouveau chez ma mère, et chez mon père, qui restent tous les deux sinistrés malgré leurs efforts de soulagement devant le retour prodigue de leur fils, et aussi à l'école qui a pas changé d'un poil même si plus rien est pareil, surtout que les orcs m'évitent respectueusement, comme si j'étais un revenant, et que les examens de fin d'année se déroulent miraculeusement sans moi, trop absorbé que je suis par mon questionnement existentiel pour faire attention aux réponses insignifiantes que les feuilles de papier posées devant moi demandent.

« Je sais que t'as pas fini d'atterrir et que t'es en plein décalage, me répète mon père, mais si t'arrivais à te ramasser un peu, tu pourrais faire autre chose que passer l'été à reprendre ton année. »

Je suis bien d'accord sur le principe, surtout que Jacinthe, sa conjointe, qui vient de le quitter pendant mon escapade de rue, s'offre pour me rattraper et que son parfum me fait toujours autant d'effet. Mais, en réalité, trop de soubresauts des récents événements continuent de me secouer pour que je puisse avoir une consistance scolaire.

J'hésite encore entre ciel et terre, si tu vois ce que je veux dire. Le désespoir dépend des jours. Dans les bras de Divine, je réussis à oublier le tragique de Raph, malgré sa présence constante au milieu de nous deux, et le goût de la vie revient sur mes lèvres. Tant que les gerçures se taisent, la bouchée est tolérable. Et même succulente. Mais le reste du temps, je pense à la demande de monde moins cruel de la petite Iphi-Génie du salon, et j'ai plutôt envie de disparaître de honte. Parce que ni Benj ni moi savons comment le faire exister sur cette Terre. Ni sur le Net. Ni ailleurs. Et pour personne. Je suis pas parvenu, comme je l'espérais, à donner de répit final vivant à la souffrance de la mort.

« Mais comment on peut fabriquer un monde moins cruel en se prenant soi-même à la gorge ? » j'ai demandé à Raph, parce que je lui parle encore, de temps en temps, malgré son silence, et même si je repense de faire semblable quand mon thermomètre fige dans les froids extrêmes et que le temps doux se souvient pas le moindrement d'avoir existé.

« Mourir devient parfois une question de survie », elle me résonne quand même de l'intérieur.

DieuWeb, lui, il explique ça en disant que la violence contre soi et les autres est incluse automatique dans le manque. Et qu'est-ce qu'on fait alors pour prévenir les plus petites Génies que soi, qui pressentent déjà les écueils et qui veulent devancer la déception, hein ? Raph se tait. Parce que si elle savait la réponse, elle serait elle-même encore vivante. DieuWeb aussi se tait. La preuve qu'il est loin de tout maîtriser et que sa réputation est surfaite. Eh bien, si tu veux mon humble avis, il reste plus que les contes de fées modernes du Web pour s'habituer aux obstacles et aux épreuves.

La différence avec Raph, c'est que je sais maintenant ce que ça fait à ceux qui restent. Et je voudrais pas exiger ça des autres. Mais quand on a trop mal, y a plus un seul autre qui tienne. Et tu le sais. Alors je m'en sors un jour à la fois, comme disent les AA de mon père. Avec le meilleur et le pire en bandoulière. En sachant que l'un comme l'autre peuvent s'imposer n'importe quand. Il faut composer avec les absolus quand on est un humain. C'est ça que je dirais à Iphi-Génie, si je la revoyais : « Apprends à composer. »

Il y a aussi cette histoire de bons et de méchants emmêlés qui reste en travers de mon aventure de rue et qui me trotte dans la tête. Un moment pareil. Si toutes les batailles intérieures et extérieures peuvent se calmer momentanément et que l'absurde peut nous quitter et qu'on peut enfin simplement être là, avec tout ce qu'on est de difficile sans que ça cherche à tuer, moi, je veux bien. Mais comment je pourrais faire se reproduire tous les jours ce miracle ? Tu le sais, toi ? C'est pour ça que je suis retourné à dieu, finalement. Je veux dire, sur le Web. Même si je lui mets maintenant un petit « d » de rétrogradation.

Un soir que j'étais particulièrement absent en me rendant chez Divine, j'ai tourné le mauvais coin de rue et je suis tombé nez à nez avec une titubante sur talons trop haut perchée, qui m'a pris par le bras.

— Tu veux pas passer un peu de temps avec moé, mon chat ? a fait une voix pâteuse que j'ai pourtant reconnue derrière l'épaisseur du maquillage.

— Audrey !

Elle m'a aussitôt lâché, m'a tourné le dos et a fait mine de s'en aller.

— Attends ! Oui, je veux passer du temps avec toi. C'est combien ?

Elle a ralenti le pas.

— Je t'en dois une, mon pit, pour toé, c'est gratis.

Elle était peut-être pas aussi défoncée qu'elle en avait l'air, après tout...

— Dis-moi combien, j'ai insisté.

— Vingt-cinq, elle a fini par prononcer.

— OK, vingt-cinq, je lui ai mis trente dans la main parce que c'est tout ce que j'avais.

— Essaie de choisir du bon, j'ai conclu en repliant ses ongles rouges sur les billets.

— T'inquiète, elle a fait en tombant de ses talons.

Je l'ai rattrapée juste à temps.

— Lâche-moé ! elle a crié. Pis arrête de vouloir me sauver ! J'ai choisi ! As-tu compris ? Choisi !

Et elle s'est éloignée en hoquetant d'un rire hystérique.

— Qu'est-ce que t'as ? a demandé Divine en ouvrant la porte.

— Je… j'ai croisé Audrey.

— Je sais, je l'ai vue, moi aussi…

— Elle dit qu'elle a choisi…

— C'est dur, hein ? elle a dit en baissant la tête.

J'ai essayé de déglutir oui, mais le mot est resté coincé dans ma gorge. Mes yeux devaient demander pourquoi à ma place parce que Divine m'a tiré et qu'elle m'a installé dans la pénombre devant l'ordinateur allumé de son soi-disant père, que j'avais toujours pas rencontré de face.

— Tape.

Je comprenais pas ce qu'elle voulait, mais mes doigts ont écrit dans la boîte de dialogue :

— dieu, si t'existes, fais quelque chose.

À ce moment, Divine a dû prononcer : « Je reviens plus tard », ou quelque chose du genre, j'ai pas fait attention parce que je guettais la réponse sur l'écran. On jurerait qu'il m'attendait parce que ça s'est écrit presque aussitôt. Il était content que je sois resté, finalement. « Pour le moment », j'ai précisé. Je l'ai remercié pour le bâton de pèlerinage et il avait pas l'air au courant. Mais peut-être qu'il faisait semblant.

Tout à coup, j'ai été distrait par une sorte de bizarre gargouillis de gorge dans la pièce. J'ai levé les yeux et j'ai remarqué pour la première fois qu'il y avait un autre ordinateur adossé à celui que j'occupais, dont l'écran était aussi allumé. On aurait dit qu'ils étaient disposés exprès pour un dialogue en tête à tête par machine interposée. Était-ce par ce truchement que Divine et son soi-disant père se parlaient ? Ça m'a traversé l'esprit qu'il y avait peut-être quelqu'un devant l'écran en face de moi. Quelqu'un de discret, de tassé sur lui-même, qui souhaitait pas être vu... Je me suis un peu penché sur le côté. Rien. Peut-être qu'un bout de manche, immobile dans la pénombre, dépassait du coin de la table. J'arrivais pas à distinguer. Mais peut-être aussi que c'était mon imagination que chacun sait fertile... Je sentais confusément que je devais pas insister pour démêler le réel du virtuel dans ce cas précis, puisque nous sommes de toute façon condamnés à la fiction, comme j'espère que ce livre t'a appris. Je me suis donc redressé et j'ai continué à taper :

— *Pourquoi les humains peuvent pas faire autrement que se détruire ?*

Je pensais à Audrey, bien sûr, mais aussi à Raph, à mes parents, et à moi, et à tous les nombreux autres comme nous tous, et à ce que nous faisons à notre unique terre d'origine. C'était une question difficile et ça lui a pris du temps, mais j'étais patient pour une fois...

Tu te doutes de la réponse quand même, qui est qu'on naît tous avec des manques qu'on essaie de compenser de plein de façons, et que ça finit par nous tuer, mais il a fallu que j'y réfléchisse assez longtemps pour décortiquer la parabole. Et imagine-toi que se détruire serait selon lui un moyen extrêmement créatif de rendre supportable l'insupportable.

— *Hein ?* j'ai fait, parce que après tout, la créativité de la destruction est un concept inouï.

Il a enchaîné avec un cours d'éducation à la consommation, mais en très différent de celui de l'école. Alors, je l'ai laissé un peu faire. J'ai retenu qu'on peut remplir le vide de soi avec de l'alcool, des médicaments, de la drogue, des cigarettes, de la bouffe, des jeux, des biens, de la religion, des sectes, des idéologies, de la terre, de l'air, de l'eau, des végétaux, des animaux, du sang, des corps, du sexe... Allonge la liste tant que tu veux. Je te dis pas, parce que tu le sais, que la consommation est une nourriture éphémère, que ça calme un peu et que ça recommence, jusqu'à l'overdose extrême ou jusqu'à ce qu'il reste plus rien à consommer, comme dans le cas échéant de la planète.

— *Y a donc rien pour nous arrêter ?*

— *Il ne reste qu'à envoyer Dieu au Diable.*

Je sais pas si ça te rappelle une certaine prophétie, mais moi, je lui ai demandé s'il aurait pas par hasard une barbe jaune, genre. Il a répondu qu'il avait plus de barbe du tout, qu'elle avait fondu avec son visage, et il s'est éteint d'un coup sans rien ajouter.

Je suis revenu dans la pénombre de la pièce. Le souffle restait suspendu dans l'air de l'autre côté de l'écran sans aucun gargouillis de gorge et sans bouger ni rien. J'avais beau tendre l'oreille, j'entendais seulement le ronronnement des ordinateurs. Alors je me suis levé et je suis sorti.

J'ai pris congé de Divine sans tellement de conversation parce que j'étais occupé avec l'énigme de la dernière phrase. Je me rendais même pas compte que je marchais sur la rue quand une main m'a agrippé contre le mur. Et j'ai eu tout à coup le mohawk de Jack en pleine figure, avec en plus une émanation éthylique pas très recommandable.

— Tu joues encore au pèlerin, le nouveau ?

J'ai regardé ma main qui tenait sans le savoir le bâton sculpté que j'avais dû reprendre distraitement contre le chambranle de la porte en partant de chez Divine. Même si je le dépassais de presque une tête, son poing avait du nerf en appuyant sur ma gorge et j'avais du mal à respirer. J'essayais de lui dire, mais il m'étranglait la voix.

— Tu le sais-tu d'où tu sors, là, pis avec qui tu tchattais ?

J'ai réussi à le pousser en lui mettant le bâton en travers du ventre. J'ai toussé, craché, en faisant non de la tête et en étant pas sûr de vouloir le savoir.

— Moé, je le sais en crisse... il a continué, plié en deux de mon assaut.

— Ça va, Jack...

J'espérais qu'il se taise, mais il a continué à déverser son sac d'un seul jet en se tenant le ventre et il y avait plein de détritus de répandus partout sur le pavé qu'on savait plus où les entasser et qu'il était impossible de pas avoir les deux pieds dedans jusqu'aux oreilles. J'étais cloué sur place par les détails de sa croix, qui concernaient également celui qui se faisait appeler Dieu sur le Web et qui prenait dans la bouche de Jack toutes les allures du diable en personne, profanateur de temple, ravisseur de pureté et extorqueur d'innocence, et jusqu'à Divine qui était impliquée dans le sombre tableau. Il y avait rien à ajouter quand il s'est tu et le silence a flotté longtemps entre les sifflements lointains d'une sirène de police.

Au moment où j'ai réussi à me décoller du mur, j'ai relevé Jack, qui avait plus l'air d'un éventré que d'un éventreur, et je lui ai dit : « Viens », pour le ramener à la maison. Comme il avait pas de maison, je l'ai installé sur le divan du salon et quand je me suis réveillé le lendemain matin, ma mère avait les poings sur les hanches devant l'absence de télé. Heureusement, son ordinateur de travail était encore là. Une odeur rance de corps pas lavé se répandait encore malgré la fenêtre ouverte sur le bruit de la ville.

— Benjamin, elle a fait avec sa voix de reproches d'autrefois, qu'est-ce que tu nous as ramené là ?

Et il a fallu que je parte à sa recherche, sinon elle appelait la police. Mais on était en plein jour et les ailes des anges déchus brillent seulement sous le couvert de la nuit. Alors, je suis rentré bredouille, en faisant le plus de détours que mon absence de repères naturels me permettait pour pas tomber par hasard sur Divine.

J'ai réussi à l'éviter pendant une semaine. Jusqu'à ce qu'elle m'attende à la sortie de l'école.

— T'as tort, elle m'a planté en plein front.

— Jack peut pas avoir tout inventé.

— Non, mais tu pourrais au moins me demander ma version.

— C'est sa version à lui que je veux.

— À lui ?

— Ton soi-disant père bienfaiteur invisible...

— Tu peux pas demander ça...

— Pourquoi tu le protèges comme ça ?

Ma question l'avait frappée et l'ébranlée cherchait ses mots. Je la fixais si intensément que j'ai vu les vibrations de la guerrière Ilsole émaner d'elle comme une aura. Une nuit en plein soleil. Elle a fini par dire :

— Benj, j'essaie juste de préserver la part de victime qu'il y a en chaque coupable.

Je sais pas pourquoi, mais j'ai entendu qu'elle s'incluait dans ses propres paroles et qu'elle incluait aussi Raph, entre autres, et bien plus de gens que ce que je pouvais imaginer.

— Tu crois encore que les bons sont purement bons et les méchants, seulement méchants ? Tout est pas ou blanc ou noir, Benj, mais un mélange infini de teintes de gris. On l'a clairement vu, l'autre nuit, sur le parvis du CHSLD.

J'ai tout de suite été ramené sur les lieux de la scène et j'ai enfin compris que c'était pas le jeu qui avait figé tout le monde sur place, mais une sorte de petite bulle d'air qui s'était formée dans le compact de la nécessité et qui avait fait tomber armes et armures en mettant à nu nos zones d'ombre et de lumière respectives. Je me sentais comme un imbécile fini devant Divine ; comme d'habitude, il fallait qu'on me martèle le cerveau pour que quelque chose entre dedans.

— On a envoyé Dieu au Diable ? j'ai cherché à me rattraper.

— Oui, ou si tu préfères, chacun a endossé momentanément son propre amalgame de blanc et de noir...

— Et c'est la paix ?

— C'est la paix, oui...

Elle m'a tourné l'émotion qui montait de dos pour s'en aller. Je lui ai mis mes bras par derrière pour la retenir et j'ai déposé mes lèvres nues sur sa nuque irradiante.

— Pars pas pendant l'éternité...

Depuis, je mets de l'eau dans le vin de vérité de Jack, et dans celui de dieu, et d'Audrey, et de Raph, et de Divine, et de tout le monde, même des orcs. Inutile de te dire que, même si je voulais, la guerre interactive du Web se déroule sans moi. J'ai essayé de rejouer, mais je reste sur les côtés à me demander ce qui pousse chaque acteur dans sa propre justice, au lieu de me mêler aux batailles qui me paraissent désormais absurdes et sans issue, et quelqu'un finit par me balancer du jeu par inadvertance. Je détecte trop que les chevaliers sont des bons de leur point de vue, mais qu'ils sont des méchants du point de vue des orcs. Et inversement. Si chacun est toujours le bon de soi-même et le méchant de l'autre, je sais pas comment tout ça va finir. L'Histoire nous a montré pourtant que la paix se fait pas en éliminant tous les ennemis, qui sont interminables. Je me rends compte que tout le monde a des motifs de violence intégrés pour des raisons différentes tout à fait valables, ce qui veut pas dire excusables.

Il a fallu que je digère un moment, mais j'ai finalement recommencé à parler à dieuWeb quand même je connais maintenant quelques-unes de ses horreurs personnelles. J'essaie d'apprivoiser la répulsion parce que je sais qu'il paye très cher de sa mutilation, même si je verrai sans doute jamais sa photo et encore moins sa personne. En plus, on peut pas dire qu'il est dans le champ quand il raconte que notre vérité individuelle et collective nous fait répondre de tout temps au sang versé par d'autre sang versé, ce qui nous remplit tout un bain. Pourtant, on lave pas les blessures avec du sang mais avec de l'eau, tel qu'il l'explique lui-même. Et je comprends qu'il utilise la même eau vive du Net pour laver ses arnaques de mineurs d'autrefois. Comme dit Divine, il tente d'assumer sa part de responsabilité dans la violence, ce qui est quand même pas donné à tout le monde. Et de rendre aux uns comme moi ce qu'il a pris de force à d'autres comme Jack, et qui reste impardonnable.

« Il est temps de chercher des issues différentes au jeu en prenant le risque de ses teintes de gris », qu'il me répète. Même si les siennes tirent plutôt sur le gris foncé… Et je me demande comment il réussit à se regarder dans le miroir sans se tuer. Ça doit pas être de la tarte. Remarque, il a déjà essayé, comme tu vas bientôt le savoir.

Une fois que Divine était retenue par son dépanneur, je suis arrivé un peu avant elle. J'ai sonné à la porte rouge pour la forme, en sachant qu'elle est jamais barrée, comme dans toute vraie maison d'accueil et de sauvetage, mais je voulais annoncer ma visite au cas où il y aurait quelqu'un à surprendre à l'intérieur. J'ai finalement poussé la porte silencieuse et, comme je savais pas trop comment patienter le temps en attendant, je suis allé rejoindre le ronronnement des ordinateurs de la chambre noire. J'hésitais à entrer, debout sur le seuil. Il y avait personne, même si, comme chaque fois, j'ai eu la sensation d'une présence dans le sombre feutré de la pièce. Surtout qu'un rayon de lune s'est traîtreusement faufilé entre les ondulations du rideau et qu'il a esquissé comme une forme de silhouette sur le plancher. Assise à un ordinateur. Mais la brise a aussitôt récupéré la bévue en aspirant l'ombre et en laissant bêtement retomber le rideau. Tellement que je suis resté à me demander ce que j'avais vraiment vu. Je sais bien que c'est pas un pur esprit qui tchatte avec moi à l'ordi, mais j'ai perdu la nécessité de voir cet être violent et violenté que j'imagine, je sais pas pourquoi, avec des trous dans les paumes.

— Pire que ça… a confirmé Divine. Et a corroboré Jack, qui l'a vu brûler vif sans rien faire pour l'éteindre.

— *Toi aussi, tu l'as frôlée, hein ?* je lui ai tapé.

— *Qu'est-ce que tu crois ? Que Dieu est épargné ?*

— *Tu t'en es sorti comment ?*

— *Je ne m'en suis pas sorti…*

— *Mais t'es vivant !*

— *Je respire. Oui.*

— *Tu vas recommencer ?*

— *Pas pour le moment.*

— *J'ai déjà entendu ça. Toi, qu'est-ce qui te fait rester ?*

— *Des chevaliers-orcs dans ton genre.*

— *Les chevaliers désespérants et désespérés dans mon genre te tiennent en vie ?*

— *Tous ceux qui peuvent encore moins que les autres échapper à ce qu'ils sont…*

— *Je comprends pas. Pourquoi ?*

— *Parce que l'espoir de nous voir enfin accomplis n'est pas là où nous l'avons toujours mis…*

— *Je comprends pas. Tu peux pas parler plus clairement ? On est pas dans la Bible, ici, lâche tes paraboles inaudibles.*

Si tu veux savoir comment je me représente ce diable de dieu désormais, c'est en pédophile bien cuit devant l'éternel, que le feu de l'enfer a léché, tordu, fondu et rendu quasi muet et sourd. Comme l'a raconté Jack, il a d'abord joué de son visage intact sur Internet et d'un certain bâton sculpté que tu connais avant de contempler son vrai reflet dans une flaque de jus de poubelle… et de vouloir immoler l'horreur de lui-même. Pour que ça s'arrête. Une jeune divine que tu connais également, qui avait rendez-vous avec sa propre horreur dans une chambre de passe, a poussé du pied la torche vivante qu'il était et l'a roulée dans la neige souillée de la ruelle printanière. Ils ont fait convalescence ensemble, si c'est possible. Depuis, ils ont un pacte d'arrêt. Aussi simple et abominable que ça. Inutile de démêler le réel de l'imaginaire. Chacun se raconte sa propre histoire.

Je laisse donc planer sur ma vie l'ombre de ce dieu bourreau et martyr sans autre précision supplémentaire, sinon je craindrais que mon cœur monte sur mes lèvres, qu'il se répande sur la table, sur le plancher, et que Benj se lève en moi, qu'il traverse l'écran et qu'il tranche une fois pour toutes la tête de l'atrocité. Mais quand je réussis à rester sans bouger avec la mort, loin de me tuer, elle creuse un chemin de Compostelle en moi pour la si incommensurable difficulté de vivre dans une peau humaine. Du coup, je me mets à comprendre des choses inhabituelles et j'ai même pu tirer l'ultime leçon de ce jeu, qui est que personne a jamais les mains nettes en ce monde. Ni les méchants, bien sûr, ni les bons non plus, et surtout pas le dieu que les uns comme les autres se sont créé. La violence est notre instrument quotidien à tous, même si nous en jouons chacun à notre manière. Puisque nous sommes une seule humanité...

Je sais pas si tu suis mes élucubrations, mais en tout cas, je regrette pas une seconde d'avoir tenté ce jeu incroyable sur les pistes de Raph dans la rue pour ce qu'il m'a appris sur la vie, sur nous. Et sur les fissures que ces enseignements peuvent créer dans le mur avancé de notre destruction de nous-mêmes, des autres et de la planète. Si j'arrête pas de comprendre ce que je comprends en ce moment et si je retombe pas dans les mêmes traces automatiques, comme je le crains en refermant ce livre, et aussi parce que je suis censé être un cancre scolaire, si tu te rappelles. Il faut que les livres nous explorent, nous ébranlent et nous élargissent, sinon ça vaut pas la peine de s'esquinter tout ce temps sur des pages blanches, comme le font ceux qui écrivent, ni de passer, comme tu le fais en ce moment, des heures à les déchiffrer. Alors, voilà.

— *Benj ?* a rappliqué dieu.

— *Mm ?*

— *Le vrai Dieu des humains ne peut être qu'un très grand pécheur...*

— *Pêcheur ?*

— *Un être extrêmement souffrant, si tu préfères...*

— *Ça nous fait une belle jambe...*

Je t'ai dit, j'espère, que la parole de dieu gagne à mariner. Mais comprends-tu au moins que le mal n'a de sens que s'il donne de la consistance à l'être plutôt qu'à l'agir ? Dans ce cas, je crois qu'on va bientôt pouvoir fermer ce livre.

Ah oui, je t'ai pas dit, mais j'ai réussi presque tous mes examens de reprise, finalement, sauf en français et en géographie des lieux. C'est en partie grâce à Jacinthe, qui avait bien besoin de moi, je te fais remarquer, pour soigner ses derniers nœuds avec mon père, sous prétexte de me faire étudier. Je sais pas si c'est son parfum naturel, mais j'ai toujours eu un penchant pour elle, malgré qu'il y a maintenant de longs fils gris dans la chevelure de mes rêves de l'épouser. La fée garde tout de même le don d'éclairer mes facultés affaiblies de chevalier en manque de diplôme. Et je vais te dire une chose que mes parents savent pas encore, c'est que l'école va m'attendre jusqu'aux adultes pour terminer mon secondaire parce que j'ai vraiment besoin d'un congé prolongé.

Ah oui, je t'ai pas dit non plus parce qu'on était trop occupés, mais avec toute cette aventure, j'ai failli jamais avoir dix-sept ans. Ce qui fait qu'on a complètement ignoré mon anniversaire – qui était précisément en juin –, mais on avait pas tellement le cœur à la fête, de toute façon. Si je vieillis, je vais me souvenir, c'est sûr, de cette date manquée comme du début d'une nouvelle ère. En tout cas, j'espère. Le fameux jour dit, ma sœur Noé, avec sa discrétion habituelle, a paraît-il déposé dans ma chambre en mon absence une dernière version piratée de *War of Worldcraft* en pensant me faire plaisir, et mon frère olympique a téléphoné des *States*. Le CD est toujours intact à côté de mon ordi, avec le message de Max si je veux le rappeler à frais virés. Mais il est jamais là de toute façon. La piscine, chez lui, est plus forte que la famille. Et je comprends qu'il s'enfuit en nageant, ce que d'autres font en marchant, en courant ou en buvant, ou même en se taisant à la manière de Noé. Quant à mon amère et à mon père, ils sont muets sur leur cadeau. Mais j'ai trouvé une enveloppe déchirée dans la poubelle de ma chambre, adressée à « Notre chevalier enfin diplômé », avec, dedans, un billet pour nulle part, qui vaut un voyage pour n'importe où dans le monde. Tu imagines ? Je comprends qu'ils l'aient jetée, parce qu'une fois encore, ce jour-là, j'ai raté leur espoir, en plus d'être disparu peut-être à jamais, mais moi, j'ai rangé les deux morceaux recollés sous mon clavier d'ordi en attendant de connaître ma destination.

Ah oui, il y a une dernière chose qui est nécessaire d'ajouter à propos de Divine. Je t'ai pas tout dit sur les délices de déesse, qui avaient le don de bloquer avant la fin. Dans la moiteur, une série de fantômes surgissaient tout à coup et se répandaient dans la pièce, ce qui nous gâchait immanquablement le plaisir d'être autant de monde non invité avec nous deux. Divine devenait de glace, sa peau répondait plus ; elle finissait par se cacher le visage dans les mains avant d'aller vomir son trop-plein de corps dans les toilettes.

« Je suis désolée », disait-elle en revenant. Je l'étais aussi, et pas seulement pour moi ni même pour nous deux, mais pour tous les rendez-vous manqués des humains. Au mieux, elle me lançait son célèbre : « T'as des choses à faire », en me congédiant de sa chambre. Mais bon, une nouvelle aventure pouvait pas m'attendre chaque fois derrière sa porte.

« Voilà ce qui arrive quand le sacré est violé », me murmurait dieuWeb pendant que je rentrais tristement chez moi en me sentant impuissant à restaurer ce qui avait été aliéné avec autant de violence mutuellement consentie.

Un jour qui sentait la rentrée scolaire, Divine m'a annoncé qu'elle partait pour les États-Unis, suivre une formation, tiens-toi bien, de *preacher*. Comme je restais interdit avec le mot, elle a ajouté :

— Prêcheuse, prédicatrice...

— Ça va, j'ai compris. Ça se donne seulement aux États-Unis ?

— C'est préférable, elle a répondu en détournant le regard.

Je savais qu'elle avait raison, même si l'idée me déchiquetait l'intérieur.

— Et ton soi-disant père ? j'ai fait diversion.

— Tu vas t'en occuper.

— T'es folle ?

— Tu le fais déjà.

Elle avait un peu raison quand même. Voilà pourquoi, en rentrant, je suis allé directement à mon clavier et j'ai tapé :

— Fais quelque chose, dieu.

— Je suis là.

— Sois pas simplement là. Je te demande de faire quelque chose.

— On n'arrête pas le désir, Benj... J'avoue que c'est difficile...

— Et même impossible...

— Nous sommes constamment confrontés à l'impossible.

— Et pourtant, on est debout.

— Dans l'impossible.

— Divine est en moi pour toujours, j'ai finalement acquiescé.

— En nous.

— Avec l'impossible.

— Ne la retiens pas, Benj.

— Je la retiens pas... j'ai terminé le cœur défait.

Crois-le ou non, même en étant invisible, inaudible et tout, dieu lui a tout de même organisé une fête d'a-dieu. Évidemment, tous les damnés de la rue étaient invités et ils sont tous venus. Même les orcs à poudre et même d'autres que je connaissais pas, et même Jack, qui l'avait pourtant pas facile avec Divine et qui avait en plus le divin de travers. Mais pas Audrey, qui devait « travailler » et qui s'isolait de plus en plus dans la petite mort de la dope. Et une surprise de l'école, Miranda, tu te souviens d'elle ?, avec ses petits cheveux blonds courts toujours aussi doux, même si je les ai pas encore touchés, et avec un nouveau tatou derrière l'oreille, et que j'imaginais pourtant pas dans la rue mais plutôt en stagiaire d'été pour la « Porte rouge », qui est maintenant une maison d'organisme presque officiel, en attendant d'entrer bientôt au cégep. Je me comprenais pas de l'avoir jamais croisée avant, mais elle était le plus souvent dehors en train de recruter, comme elle m'a précisé, et j'étais un peu intimidé de retrouver sa voix de flûte enchantée, surtout que je l'avais abandonnée avec les études. Mais la rancune était pas dans l'air quand elle m'a embrassé qu'elle était contente de me revoir.

Il y avait même, tu devineras jamais, Iphi-Génie, qui est arrivée en tenant Divine par la main. Cette petite Génie avait fait semblant d'avoir besoin d'une gardienne de nuit pour l'attirer chez elle pendant que tous les autres installaient le festin. Me demande pas comment dieu a réussi à la mettre dans le coup, elle qui sait sûrement pas lire et encore moins clavarder. En tout cas, ça a marché parce que ma guérisseuse ensoleillée se doutait de rien et qu'elle a eu l'air tellement ébahie de voir la rue réunie sous son toit. Ses yeux ont brillé pendant qu'elle mettait les mains sur le « oh ! » de sa bouche et tout le monde a applaudi en criant et en riant, même moi, qui avais pourtant les larmes sur le bord. C'était très touchant de nous voir toutes les rivalités suspendues pour saluer celle qui connaissait la plupart sous plus de coutures que quiconque et qui, même en étant controversée, laissait personne indifférent. C'est là que j'ai compris que ses études de prêcheuse se préparaient depuis bien plus longtemps que je croyais, avec le charisme intégré qui attirait à elle les contusionnés de toutes sortes. J'étais content de revoir les yeux de Raph dans le petit visage de minicouettes, mais je craignais en même temps qu'ils me demandent des comptes sur le monde moins cruel et j'essayais de pas me retrouver trop souvent seul avec eux.

— Elle aurait jamais été à toi de toute façon, m'a jeté la petite en mastiquant une bouchée de sandwich aux œufs.

— Quoi ?

L'évidence que Divine appartient à la rue, et qui m'avait encore jamais frappé, fonctionnait mal dans une bouche d'enfant, tellement que j'ai eu l'impression que Raph prononçait à travers elle. Après tout, je me suis dit, les Inuits appellent bien les fillettes « Grands-mères », en étant persuadés qu'elles sont des aïeules réincarnées. Pourquoi pas une réincarnation de grande sœur ou de cousine ? J'avais pas encore démêlé le degré de filiation de Iphi-Génie avec la défunte.

Quand les romanichels ont improvisé leurs instruments et leurs percussions et leur rap d'adieu, Divine s'est mise à déborder et moi aussi, en plus discret, dans un coin. Je pouvais pas croire que ma guérisseuse adorée allait disparaître de toutes mes vies. Ils lui ont donné un souvenir de sculpture en déchets recyclés et un immense tag à son nom sur tout un mur de ruelle, que Jack, entre autres, avait participé à graffer. Pour être avec les autres, je lui ai passé le relais du bâton sculpté en étant sûr que dieu (et Diable) seraient d'accord et elle a reniflé qu'elle le garderait précieusement, et qu'avec lui, elle serait toujours guidée. Ses mots étaient chauds sur ses lèvres, mais ils avaient aussi un petit froid de distance qui préparait son départ. Et mon abandon.

La fête s'est poursuivie très tard et la petite Génie, qui avait pas l'âge, a fini par tomber endormie sur le divan. Je l'ai prise dans mes bras pour la déposer à l'abri dans le lit d'invité que j'avais déjà occupé. Quand je lui ai mis la couverture sous le menton, elle a ouvert des yeux tristes :

— Y en a pas de monde moins cruel, hein, chevalier Benj ?

Je pouvais pas me résoudre, alors j'ai menti :

— Tu te trompes, Iphi-Génie, il existe. Mais on peut y aller seulement en rêve.

— Dans mes rêves, y a juste des cauchemars.

Elle avait pas l'air convaincue.

— Je veux pas dire en dormant, je veux dire en fermant les yeux.

Elle m'a fixé intensément, comme quand on incorpore quelque chose, puis elle a fermé les yeux pour voir.

— Y a rien.

— Sois patiente, Iphi. Ça prend de l'entraînement pour descendre en dedans, profond. Le plus profond que tu peux. Et rester là. Et du courage avec le vide, et la peur. Si tu réussis, ça devient du brouillard, et ensuite, lentement, y a des choses qui se précisent. Et on peut respirer. Essaye encore.

Elle a refermé les yeux mais, en deux secondes, le sommeil l'a attrapée pour l'emmener dieu sait où et j'espérais seulement qu'il laisse un peu de répit à sa petite âme ancestrale. Je l'ai regardée dormir comme une enfant en étant plus aussi sûr d'avoir menti, finalement. C'est alors que le chevalier Benj, toujours prêt à reprendre du service, a baisé son front chocolaté en se sentant soudainement investi d'une nouvelle mission.

Le lendemain, j'ai raccompagné la petite chez elle pour proposer mes services de gardiennage. Sa minuscule main dans la mienne et son odeur de sueur sucrée me chatouillaient le cœur pendant qu'elle me montrait le chemin qui était à deux pas et que je me promettais de lui raconter tous les contes de fées que je connaissais et de l'initier même en sachant pas lire aux contes interactifs du Web pour l'habitude des obstacles et des rebondissements que ça permet. Je tombais bien parce que sa mère, qui avait un âge indéfinissable malgré sa très jeune apparence et ses yeux de Raph – elle aussi –, m'a dit qu'elle travaillait justement de nuit et qu'elle avait besoin que quelqu'un lui jette un œil quand sa vieille tante est pas disponible. Mais qu'elle pouvait pas me payer très cher. J'osais pas demander ce qu'elle faisait la nuit et elle m'a rassurée qu'elle était infirmière. Alors j'ai fait semblant de la croire.

Divine, qui était avec moi, avait l'air toute contente que je prenne Iphi sous ma protection et je lui ai avoué que j'avais besoin d'une bouée si je voulais tenir le coup, maintenant que Raph était disparue pour de bon et qu'elle-même s'apprêtait à en faire autant. Et que j'espérais bien apprendre de cette petite aïeule des tas de choses inconnues pour m'aider à grandir en vie. Même si je redoute ce que va dire mon amère de cette initiative. Et mon père, qui sera sûrement de son avis pour le dérangement dans mes études, en sachant pas encore ma décision de congé d'école. Mais toutes les histoires peuvent pas mal finir, maudit boutte de l'enfer, et si j'ai la possibilité d'en influencer une du presque début… tant pis pour les parents.

« Et il y a Miranda », a ajouté doucement Divine.

J'ai cherché ses yeux, mais ils figeaient le trottoir. J'ai pas insisté, j'avais très bien perçu sa bénédiction pour continuer la quête de la vie après elle, même si, à la fois, son sacrifice me transperçait. J'ai cherché la taille de cet astre brûlant ; elle s'est appuyée contre moi et on est rentrés comme ça, en ruisselant de tous nos feux, sans troubler l'eau calme du silence.

Je l'ai accompagnée ce matin au terminus. Pendant tout le trajet, on a bavardé comme si de rien était. Comme si on allait pas plus jamais se revoir. Avant de monter dans l'autobus, elle m'a pris par le cou avec ses larmes :

— Je t'aime, chevalier Benj.

— Moi aussi, Divine-Ilsole. Pour toujours.

Son visage est devenu flou et elle a vite disparu jusqu'à la dernière rangée avant que ça devienne pire. Sa main posée à plat sur la vitre teintée s'est imprégnée en moi pendant que l'autobus démarrait.

— Je suis sûr que tu vas devenir la plus grande *preacheuse* des Amériques ! j'ai crié dans le vide de son départ, sincèrement convaincu qu'elle allait renouveler le genre.

Car nous avons plus que jamais besoin de réinventer Dieu, pas vrai ?

— Oui, Benj, a acquiescé une voix menue, au bout de ma main.

J'ai baissé des yeux embrouillés sur une petite âme qui était maintenant presque tout le temps dans mon ombre et j'ai dit :

— Viens, on rentre. Et arrête de lire dans mes pensées de chevalier, OK ?

Dans la même collection :

Stéphane Bertrand, *Clark et les autres*, 2007.

François Magin, *La Belle et le hautbois d'Armand*, 2007.

François Blais, *Le Vengeur masqué contre les hommes-perchaudes de la Lune*, 2008.

Marie Clark, *Mes aventures d'apprenti chevalier presque entièrement raté*, 2008.

Stéphane Bertrand, *L'Abri*, 2009.

Patrick Drolet, *J'ai eu peur d'un quartier autrefois*, 2009.

Daniel dÄ, *Paul et Claudel*, 2010.

Texture

Texture, textile, tisser, texte… Tous ces mots ont une même racine indo-européenne, qui exprime le fait de construire, de fabriquer des ouvrages faits de matériaux entrecroisés.

N'est-ce pas là une jolie définition de ce qu'est la littérature, notre littérature ? Le plaisir d'entrelacer des mots, mais aussi de créer des liens entre des êtres humains – auteurs, lecteurs, éditeurs, graphistes, correcteurs, critiques, etc. – tous unis dans une même volonté de tisser le savoir du monde.

La collection « Texture » se veut ainsi un espace entièrement consacré au plaisir du texte. Friands de style, nous publions des auteurs dont la plume a du relief !

François Couture
Directeur littéraire

Achevé d'imprimer en janvier 2011
sur les presses de Marquis Imprimeur,
Montmagny, Québec.